DZIENNIK

CWANIACZKA

STARA BIEDA

DZIENNIK
CWANIACZKA
STARA BIEDA

Jeff Kinney

Tłumaczenie
Joanna Wajs

Nasza Księgarnia

DLA TATY

WRZESIEŃ

<u>Sobota</u>

Dorośli zawsze nawijają o „starych dobrych czasach"
i o tym, że w ICH młodości wszystko było dużo lepsze.

Ale moim zdaniem oni są zwyczajnie zazdrośni,
bo NASZE pokolenie ma odlotowe technologie
i inne rzeczy, o którym im się nie śniło.

W każdym razie jedno jest pewne. Kiedy ja sam
zostanę ojcem, będę postępował IDENTYCZNIE.

Mama ciągle nam powtarza, że w JEJ młodości wszyscy w miasteczku się znali i byli jak jedna wielka rodzina.

A według MNIE to nic fajnego. Cenię sobie prywatność i naprawdę nie potrzebuję, żeby obcy ludzie wtrącali się w moje sprawy.

Zdaniem mamy cały problem z dzisiejszym społeczeństwem polega na tym, że każdy siedzi z nosem w jakimś ekranie i nie chce mu się poznawać ludzi, którzy żyją wokół.

Cóż, na tę akurat sprawę mam odmienny pogląd.

Osobiście sądzę, że odrobina izolacji nikomu jeszcze NIE zaszkodziła.

Ostatnio mama zbiera głosy pod pewną petycją. Chce, żebyśmy wszyscy zrobili sobie taki dwudniowy detoks – przerwę od smartfonów i innych elektronicznych gadżetów.

Zamknij PRZEGLĄDARKĘ, otwórz się na LUDZI!

Elektronika zaśmieca nasze życie!
Zrezygnujmy na jeden weekend z nowych technologii
i poznajmy się lepiej! Kto jest za?

1. _____	41. _____
2. _____	42. _____
3. _____	43. _____

Potrzeba stu podpisów, aby petycję rozważyły władze, ale mieszkańcy są dosyć oporni.

Mam nadzieję, że mama niebawem odpuści temat. Na mieście musimy udawać, że jej nie znamy, co jest już nieco męczące.

Naprawdę nie rozumiem, po co mamie ten cały powrót do PRZESZŁOŚCI. O ile wiem, wtedy wcale nie było kolorowo.

Kojarzycie czarno-białe zdjęcia? Nikt nigdy się na nich NIE UŚMIECHA.

W dawnych czasach ludzie byli o wiele TWARDSI niż dzisiaj.

No ale potem człowiek EWOLUOWAŁ i dlatego dziś, żeby przetrwać, potrzebujemy takich rzeczy jak elektryczne szczoteczki do zębów i lody z automatu.

Założę się, że nasi przodkowie byliby mocno rozczarowani kierunkiem, jaki obraliśmy. Ale niestety. Odkąd wynaleźliśmy klimę, nie ma już odwrotu.

Zrobiliśmy się tacy wygodni, że w końcu przestaniemy dokądkolwiek chodzić.

A jak tak dalej pójdzie, za tysiąc lat nie będziemy już mieć KRĘGOSŁUPÓW.

Niektórzy narzekają, że przez tę całą technologię staliśmy się mięczakami. Cóż, jeśli o mnie chodzi, nie widzę w tym NIC złego.

W dzisiejszych czasach mamy MNÓSTWO rzeczy, które poprawiają komfort naszego życia. Choćby nawilżane chusteczki. Przez setki lat ludzkość używała zwykłego papieru toaletowego, aż nagle jakiś geniusz odmienił bieg historii.

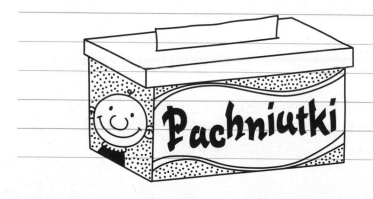

Dziwię się tylko, że zajęło mu to TYLE czasu.
I naprawdę nie mogę uwierzyć, że ten koleś, który
wymyślił żarówkę, nie wyczuł tematu nawilżanych
chusteczek.

Kto wie, jaki JESZCZE szalony wynalazek uczyni
nasze życie lepszym. Cokolwiek to jednak będzie,
pierwszy ustawię się w kolejce do sklepu.

Choć gdyby DECYDOWAĆ mogła moja mama, wciąż
byśmy żyli jak ludzie przed wiekami. Bez komputerów,
smartfonów i nawilżanych chusteczek.

A ja nawet nie chcę wyobrażać sobie świata,
w którym nie ma Pachniutków.

<u>Niedziela</u>

Tata mówi, że kiedy ON był dzieckiem, latem wszyscy bawili się na dworze, póki nie zawołano ich na kolację.

Cóż, MOJE tegoroczne wakacje wyglądały KOMPLETNIE inaczej.

W lipcu i sierpniu jeździłem na półkolonie filmowe, gdzie osiem godzin dziennie spędzaliśmy przed ekranem w klimatyzowanej sali.

Wybrałem sobie te zajęcia, bo sądziłem, że są dla ludzi, którzy, podobnie jak JA, POWAŻNIE interesują się kinem.

Ale szybko odkryłem, że tak NAPRAWDĘ to tylko
miejsce, gdzie dorośli wrzucają dzieciaki,
by zaoszczędzić na niani.

Przesiadywanie w ciemności miało swoje złe strony.
Pod koniec dnia potrzebowałem pół godziny, żeby
przyzwyczaić oczy do światła.

Jeździłem na półkolonie jeszcze z innego powodu.
Zależało mi na tym, żeby wyrwać się z DOMU. Odkąd
mieszka z nami oswojona świnia, to nie do końca mój
świat. Zwłaszcza podczas OBIADÓW.

Chciałbym wyrazić się jasno: moim zdaniem jedzenie
z prosiakiem przy stole to KOSZMARNY pomysł.
Nasza świnia i BEZ TEGO uważa się za człowieka.
Wolałbym, aby nie doszła do przekonania, że wszyscy
jesteśmy równi.

Zaraz po tym jak z nami zamieszkała, mama
stwierdziła, że fajnie będzie nauczyć ją paru
sztuczek. No więc za każdym razem gdy świnia
stanęła na tylnych racicach, dostawała ciasteczko.

A kiedy odkryła, że na dwóch nogach da się CHODZIĆ, nikt więcej nie widział jej na czterech. Co GORSZA, mój mały braciszek Manny sprezentował świni swoje krótkie spodenki i teraz jest tak, jakbyśmy żyli pod jednym dachem z postacią z Disneya.

Z początku mama wyprowadzała prosiaka na spacer, ale gdy zaczął chodzić na dwóch racicach, uznał, że smycz jest poniżej jego godności.

Mama się bała, że jeśli prosiak ucieknie, nigdy go nie znajdziemy. Dlatego kupiła mu obróżkę z GPS-em jak dla kota.

Tylko że on ją ZDEJMOWAŁ w ciągu pięciu minut.
I naprawdę nie pytajcie mnie, JAKIM sposobem,
bo przecież świnie nie mają KCIUKÓW.

No więc teraz prosiak łazi sobie tam i z powrotem bez
nadzoru, a NIKT nie ma pojęcia, gdzie się właściwie
pałęta. I wiecie, co jest naprawdę nie w porządku?
Że kiedy robi się późno, ja muszę wracać do domu,
a taka świnia NIE.

Przyznawanie tylu praw prosiakowi jest OGROMNYM błędem. Któregoś dnia świnie przejmą władzę nad światem, a winna temu będzie rodzina Heffleyów.

W sumie jakoś byśmy się dogadali, gdyby to prosię stale mi NIE BRUŹDZIŁO. Już pierwszego dnia po wakacjach spóźniłem się przez nie do szkoły, tak długo okupowało łazienkę.

Naprawdę Z NIECIERPLIWOŚCIĄ wyczekiwałem początku roku szkolnego. Lecz gdy zaczęły się lekcje, nie odczułem najmniejszej różnicy.

I szczerze wam powiem, że czuję się tak, jakbym spędził w gimnazjum całe swoje ŻYCIE.

Czułem, że oszaleję, jeśli czegoś nie zmienię. Dlatego już w pierwszym tygodniu zajęć zgłosiłem się na ochotnika do programu o nazwie Partnerzy do Zadań Domowych.

ZOSTAŃ PARTNEREM DO ZADAŃ DOMOWYCH!

POMÓŻ DZIECKU ZE SZKOŁY PODSTAWOWEJ W ODRABIANIU LEKCJI!

DOŁĄCZ DO NAS JUŻ DZIŚ!

Nie będę wam ściemniał: z tym programem chodziło mi głównie o to, żeby zrywać się z trzeciej lekcji.
Czyli muzyki z panią Graziano.

Jeśli chcecie wiedzieć, jak długo pani Graziano pracuje w naszej szkole, powiem tylko, że uczyła też mojego TATĘ. I najwyraźniej trzydzieści lat słuchania, jak gimnazjaliści grają na różnych instrumentach, COŚ robi z człowiekiem.

W zeszłym tygodniu spotkałem się ze swoim partnerem do zadań domowych. Dzieciak ma na imię Frew i licho wie, po co zapisał się do tego programu. On należy do ludzi, którzy czytają czasopisma naukowe i podręczniki akademickie dla PRZYJEMNOŚCI.

Podczas naszej pierwszej nasiadówy Frew pokazał mi
swoje prace domowe – jakąś wykreślankę
i kolorowankę. Oświadczył, że nie sprawiają mu żadnej
trudności. Po czym zapytał, czy może zobaczyć,
co zadali MNIE.

Tego dnia miałem przed sobą PRZYNAJMNIEJ
godzinę męczenia się z matmą i KOLEJNE dwie
godziny udręki z geografią. Ale Frew załatwił się
ze wszystkim w jakieś piętnaście minut.

I nie był tylko szybki, był ŚWIETNY. Dzień później
oddałem do sprawdzenia obie prace domowe
i za każdą dostałem najwyższą ocenę.

Najpierw miałem lekkie wyrzuty sumienia z powodu przyjmowania pomocy od trzecioklasisty. Potem jednak zdałem sobie sprawę, że przecież partnerstwo polega na tym, by pomagać sobie NAWZAJEM.

Teraz, gdy tylko się widzimy, po prostu wręczam młodemu stertę zadań do odrobienia i pozwalam, żeby robił swoje. Wszyscy są zadowoleni.

Jedyna bieda polega na tym, że Frew czasem jest ZBYT pomocny. Już go znudziły moje prace pisemne, więc poszukując większych WYZWAŃ, zaczął sam wymyślać sobie tematy.

Niedawno ukończył rozprawę naukową, którą dołączył do moich zadań domowych jako pracę dla chętnych. Na szczęście rzuciłem na nią okiem przed oddaniem kartek nauczycielowi.

Wykrywanie przenikalności komutatywnej w fizyce

~~Frew~~

Greg Heffley

Z początku byłem po prostu zadowolony, że dzieciak pomaga mi w lekcjach. Ale ostatnio tak sobie myślę, że skoro Frew jest moim odkryciem, to powinien jakoś okazać mi wdzięczność, gdy zacznie dokonywać naprawdę wielkich rzeczy.

<u>Środa</u>

Jak gdyby ten dom NIE TRZESZCZAŁ już wcześniej w szwach, ostatnio wprowadził się do nas DZIADEK.

Podnieśli mu opłaty w domu opieki, więc nie mógł sobie dłużej na niego pozwolić. Wtedy mama zaproponowała, żeby zamieszkał Z NAMI.

Tata nie był uszczęśliwiony tym pomysłem, choć dziadek to jego własny ojciec. Mama jednak twierdzi, że teraz będzie jak w dawnych czasach, kiedy trzy pokolenia żyły razem pod jednym dachem.

Ona ma chyba mocno wyidealizowaną wizję dawnych czasów. Ja wyobrażam sobie przeszłość ZUPEŁNIE inaczej.

W zasadzie nie miałem nic przeciwko przeprowadzce dziadka, dopóki nie zrozumiałem, co to oznacza DLA MNIE. Mama pozwoliła staruszkowi wybrać, gdzie będzie spał, a on oczywiście zdecydował się na MOJĄ sypialnię.

W efekcie musiałem sobie poszukać nowego miejsca do spania. W pierwszej chwili pomyślałem o pokoju gościnnym, ale zapomniałem, że tam rezyduje świnia. A nie ma takiej OPCJI, żebym dzielił rozkładaną sofę z przedstawicielem trzody chlewnej.

Pokój RODRICKA od razu wykluczyłem, bo to by był większy upadek niż mieszkać ze ŚWINIĄ.

A że pozostał mi tylko MANNY, wyciągnąłem dmuchany materac i rozłożyłem się z nim na podłodze w pokoju młodego. Chociaż spanie w sypialni młodszego brata też ma swoje MINUSY.

Mama co wieczór czyta mu na dobranoc, czasem naprawdę DŁUGO. Mam wrażenie, że ostatnio Manny specjalnie gra mi na nerwach, wybierając najgrubsze książki.

Odkąd zamieszkał u nas dziadek, między domownikami da się wyczuć lekkie napięcie. On raczej nie pochwala metod wychowawczych rodziców, chociaż nigdy nie powie tego WPROST.

Mama OD ZAWSZE próbuje nauczyć Manny'ego korzystania z nocnika, a teraz eksperymentuje z nowym podejściem pod nazwą Zero Majtek po Kolacji.

Cóż, wygląda to DOKŁADNIE tak samo, jak brzmi.

HOP

Skutek ma być TAKI, że gdy Manny poczuje POTRZEBĘ, poleci prosto do łazienki.

Dzieciak jednak tylko bryka wieczorami po całym domu, od pasa w dół golusieńki. Aż wreszcie kuca sobie w salonie za fotelem z podnóżkiem.

Tata raczej nie jest fanem projektu Zero Majtek po Kolacji, ale BARDZEJ nie może chyba znieść tego, że wszystko dzieje się na oczach dziadka.

To jasne jak słońce, że obecność staruszka okropnie tatę stresuje. Więc kiedy któryś z nas, chłopaków, coś teraz zawali, robi się z tego jeszcze większe HALO niż zwykle.

A gdy czasem prosimy mamę, żeby pomogła nam
z czymś, co powinniśmy robić SAMI, tata po prostu
WYCHODZI Z SIEBIE.

Wczoraj zapytałem, czy mogłaby mi otworzyć burrito,
takie do mikrofali, bo ja zawsze strasznie się męczę
z tymi plastikowymi torebeczkami.

Ale tata okropnie na mnie naskoczył. Powiedział,
że gdybym został wyrzucony przez morze na bezludną
wyspę z tysiącem torebek burrito, UMARŁBYM
z głodu, jeślibym nie wykombinował, jak się je otwiera.

Odparłem, że to mało prawdopodobne, bym trafił na bezludną wyspę z tysiącem torebek burrito. On jednak oświadczył, że nic nie zrozumiałem.

Wyjaśnił, że jeśli nie nauczę się większej SAMODZIELNOŚCI, nie poradzę sobie w „prawdziwym świecie".

Tata dostaje szału także wtedy, gdy mama pomaga mi szykować się do szkoły. Ona zawsze wieczorem wyjmuje moje ciuchy z szafy, no i powiesiła na ścianie w kuchni tabelkę, żebym się nie pogubił.

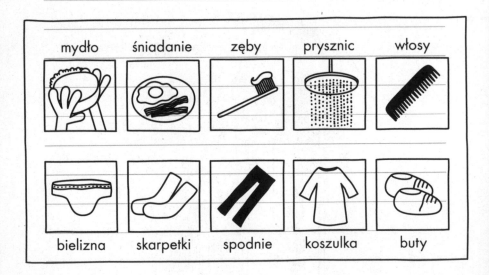

| mydło | śniadanie | zęby | prysznic | włosy |
| bielizna | skarpetki | spodnie | koszulka | buty |

Mam wrażenie, że tata nie może przeżyć tej tabelki,
bo niedawno zerwał ją ze ściany. No a bez ściągawki
pomieszała mi się kolejność i poszedłem do szkoły
w skarpetkach naciągniętych na buty.

Coś tak czuję, że tata ostatnio tylko CZYHA na to,
żeby powinęła mi się noga. Dziś rano zapomniałem
zakręcić pastę do zębów, a on natychmiast urządził
SCENĘ.

Nie bardzo się przejąłem jakąś głupią nakrętką,
ale tata palnął mi zaraz kazanie o tym, że „małe
rzeczy miewają wielkie konsekwencje".

Oznajmił, że gdyby moje dzieciństwo przypadło
na czasy pierwszych osadników, a ja odpowiadałbym
za dokręcanie śrub w kołach wozu i bym o tym
ZAPOMNIAŁ, koła by odpadły, a całą rodzinę
pożarłyby wilki.

Pomyślałem, że tata trochę dramatyzuje, ale I TAK
poczułem się winny z powodu tej nakrętki.

Nie tylko ja działam tacie na nerwy. Rodrick ostatnio też jest na czarnej liście.

Gdy tylko musi zatankować swoją furgonetkę, sępi kasę u mamy. Ale parę dni temu popełnił błąd i zrobił to przy dziadku.

Tata stwierdził, że odtąd Rodrick sam będzie płacił za SWOJĄ benzynę. A kiedy mój brat zapytał, JAK ma tego dokonać, usłyszał, że już najwyższy czas, by poszedł do PRACY.

No więc mama przejrzała z Rodrickiem ogłoszenia w gazecie. Szukali pracy, która nie wymaga żadnych umiejętności ani doświadczenia.

Wreszcie znaleźli anons restauracji oddalonej o piętnaście minut drogi od naszego domu.

Byłem w Staroświeckiej Lodziarni na ostatniej imprezie urodzinowej Rowleya i to przeżycie chyba TRWALE obrzydziło mi lody.

Mają tam taki deser o nazwie Słodkie Korytko, czyli CZTERDZIEŚCI rodzajów lodów w jednym długim pojemniku. A po wymieszaniu tylu różnych smaków lody zmieniają się w szarą breję.

Staroświecka Lodziarnia to jedno z tych miejsc, w których personel podchodzi do stolika solenizanta i śpiewa „Sto lat" albo „Niech mu gwiazdka pomyślności". A wtedy czuję się naprawdę niefajnie, bo jasne jest, że ci ludzie woleliby robić COKOLWIEK innego.

W tym tygodniu Rodrick miał rozmowę kwalifikacyjną w restauracji i wierzcie lub nie, ale dostał tę fuchę. Pierwszy raz poszedł do pracy w sobotę, a mama wpadła na myśl, żebyśmy wszyscy zrobili mu niespodziankę i wybrali się na lody. Co niby miałoby podnieść Rodricka na duchu.

Kiedy dotarliśmy do restauracji, nigdzie nie mogliśmy go znaleźć. Mama bardzo się zdenerwowała, w końcu jednak namierzyliśmy Rodricka na tyłach lokalu.

Mamie nie spodobało się, że Rodrick wynosi śmieci, powiedziała więc jego szefowi, co o tym myśli.

Gość odparł jednak, że Rodrick jest najmłodszy stażem i że każdy z pracowników lodziarni robi, co do niego należy.

Mój brat na pewno miał nadzieję, że w końcu zostawimy go w spokoju, ale mama postanowiła jeszcze trochę posiedzieć. A kiedy Rodrick poszedł na piętnastominutową przerwę, wszyscy dotrzymywaliśmy mu towarzystwa na zapleczu.

Choć przez resztę wieczoru Rodrick wynosił śmieci, mama koniecznie chciała zobaczyć go przed wyjściem. Więc powiedziała kelnerowi, że Manny ma urodziny, a on skrzyknął cały personel.

Wolałbym jednak, żeby tego nie robiła,
bo w smrodzie śmieci jest coś, co odbiera
człowiekowi apetyt.

...A KTO NIE CHCE ZJEŚĆ DESERU, NIECH POD STOŁEM ZAŚNIE!

Poniedziałek

Ostatnio mama próbuje namówić dziadka, żeby
opowiedział nam, wnukom, o życiu w czasach, kiedy
ON był dzieckiem.

Dziadek twierdzi, że nie mieli wtedy telewizora ani
niczego w tym stylu i że dzieciaki większość czasu
spędzały na dworze, grając w Kopnij Puszkę.

Dorośli NA OKRĄGŁO gadają o tej puszce, więc
któregoś razu ja i Rowley postanowiliśmy sprawdzić,
o co tyle hałasu. Ale znudziło nam się po jakichś
trzydziestu sekundach.

Tata się zarzeka, że kiedy był mały, on i jego
najlepszy przyjaciel Giles całymi dniami bawili się
w lesie, używając do tego wyłącznie wyobraźni.

Cóż, ja i Rowley próbowaliśmy RAZ użyć wyobraźni, ale jego tata kazał nam przestać, zanim w ogóle zaczęliśmy.

Tata uważa, że w dzisiejszych czasach rodzice są nadopiekuńczy. Powiedział, że on i Giles włóczyli się samopas i nigdy nie mówili dorosłym, dokąd idą.

Na co mama wtrąciła, że wtedy było mniej ZAGROŻEŃ i że teraz jest zbyt niebezpiecznie, aby pozostawiać dzieci bez opieki. Tata w sumie się z nią zgodził, choć dodał, że chłopaki takie jak ja i Rowley powinny opanować sztukę SAMOOBRONY.

Oświadczył, że kiedy był w gimnazjum, on i Giles zakopali swoją broń w różnych punktach miasteczka, by zawsze móc odeprzeć nieoczekiwany atak.

Dziadek jednak znał inną wersję wydarzeń. Stwierdził, że tata i Giles zrobili nalot na szufladę w kuchni, a tym, co poukrywali w sąsiedztwie, były SREBRNE SZTUĆCE.

Ponoć kiedy babcia zauważyła brak noży i widelców, kazała chłopcom je odkopać i przynieść Z POWROTEM.

Po tej wpadce tata i Giles położyli łapy na PLASTIKOWEJ zastawie. Ale wdali się w sprzeczkę o to, czy łyżkowidelec może posłużyć do samoobrony, i sprawy przybrały nieciekawy obrót.

Giles poskarżył się swojej mamie i na dowód pokazał jej ślad od łyżkowidelca. Cóż, to chyba naprawdę było w innej epoce, bo mama Gilesa przełożyła mojego tatę przez kolano i nieźle mu PRZYLAŁA.

No właśnie. Całe to zachwycanie się dawnymi czasami ma jeden minus. Człowiek pamięta tylko DOBRE rzeczy, a zapomina, że sprała go matka najlepszego kumpla.

<u>Środa</u>

Myślałem, że dziadek pomieszka z nami przez jakiś czas, a potem znajdzie sobie tańszy dom opieki. Teraz zaczynam jednak podejrzewać, że zostanie tutaj NA ZAWSZE.

Co nie jest zbyt fajną perspektywą, bo nie wiem, jak długo wytrzymam w jednym pokoju z Mannym.

Już samo dzielenie sypialni z osobą, która lata
po kolacji bez majtek, uważam za upokorzenie.

Dziadek zresztą nie wypada dużo lepiej niż Manny.
Kiedy się wyprowadził z domu opieki, rzuciła go jego
dziewczyna, Darlene. I ostatnio staruszek snuje się
z kąta w kąt w szlafroku, co oznacza, że nikogo nie
mogę zaprosić do domu.

Im prędzej dziadek odbije się od dna, tym prędzej nas opuści, dlatego pokazałem mu, jak korzystać z portali randkowych.

Myślę jednak, że stworzyłem POTWORA. Teraz dziadek okupuje komputer dwadzieścia cztery godziny na dobę i ma co najmniej PIĘĆDZIESIĄT romansów na odległość.

Nie pytajcie mnie, jak on się w tym może połapać.

Belinda
puściła ci oczko

Bethany
chce się z tobą spotkać

Martha
lubi twoje zdjęcie profilowe

Tiffany
wysłała ci zaczepkę

Sylvie
lubi twój żart z „puk, puk"

Marjorie
uważa, że jesteś fajny

U Rodricka też duże zmiany. Mój brat powiedział mamie, że dostał w pracy awans. Czyli dziś wieczorem znów wpakujemy się do auta, aby pokazać, że o nim myślimy.

Chociaż nie wiem, czy to nowe stanowisko Rodricka naprawdę można uznać za AWANS. Przebierają go teraz za Staroświeckiego Tobiasza, maskotkę lodziarni.

Najwyraźniej koleś, który był POPRZEDNIM Tobiaszem, wyleciał, bo dał się zobaczyć bez głowy. W świecie maskotek to chyba MEGAWTOPA.

Staroświecki Tobiasz po prostu chodzi od stolika do stolika i próbuje zabawiać maluchy. Cóż, trudno oprzeć się wrażeniu, że osiąga ODWROTNY efekt.

W rzeczywistości dzieci NIE ZNOSZĄ Staroświeckiego Tobiasza. Kiedy dotarliśmy do lodziarni, właśnie brały Rodricka w dwa ognie.

Rodrick powiedział nam, że dostał od szefa ostrzeżenie. Jeśli zostanie przyłapany bez głowy, natychmiast traci pracę.

Na szczęście jedno z oczu Tobiasza się wyjmuje, bo tylko w ten sposób mój brat może przyjmować płyny.

Zaczynam myśleć, że gościu, który wcześniej był Staroświeckim Tobiaszem, rozstał się z tą robotą na WŁASNE życzenie.

A gdybym miał obstawiać, ile popracuje Rodrick, dałbym mu nie więcej niż jakieś dwa tygodnie.

Piątek

W szkole mówi się tylko o wielkiej wyprawie
do miejsca znanego jako Głodowe Gospodarstwo.
Jedziemy tam w przyszłym miesiącu.

Każdy rocznik po kolei spędza w gospodarstwie cały
tydzień. Noclegi są w chatach z drewnianych bali,
a dzieciaki uczą się o przyrodzie i ciężkiej pracy.

To na pewno wystrzałowa sprawa dla kogoś, kto lubi
takie klimaty. Ale ja już postanowiłem. Jako JEDYNY
zostanę w domu.

A kiedy ONI będą uganiać się spoceni po lesie,
ja sobie usiądę w szkolnej bibliotece, żeby skorzystać
z udogodnień współczesnego świata.

Mama robi wszystko, abym zmienił zdanie. Sądzi,
że jeśli nie pojadę, potem będę żałował.

Szczerze? To mało prawdopodobne. Słyszałem
mrożące krew w żyłach opowieści dzieciaków, które
stamtąd wróciły. No i pamiętam, jakie listy przysyłał
z Głodowego Gospodarstwa RODRICK.

Prawdę mówiąc, Rodrick przeżył na tym wyjeździe coś w rodzaju traumy. Gdy tylko znalazł się w domu, natychmiast wpełzł do wyrka i nie wychodził z niego przez cały weekend.

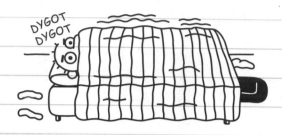

Dziś był ostatni dzień dobierania sobie współlokatorów w Głodowym Gospodarstwie. Podczas lunchu wszyscy potwornie się o to szarpali. Byłem zadowolony, że nie jadę, bo za żadne skarby nie chciałbym brać udziału w takiej przepychance.

Trochę tylko było mi głupio z powodu Rowleya, który na mnie LICZYŁ. Kiedy mu powiedziałem, że zostaję w domu, poleciał sprawdzić, czy w którymś składzie znajdzie się jeszcze miejscówka.

Ale pod koniec lunchu jego sytuacja nie wyglądała korzystnie.

Nie mogłem się jednak przejmować Rowleyem. Miałem na głowie swoje WŁASNE zmartwienia.

W poniedziałek mama i tata dostali list ze szkoły. Wzywano ich na rozmowę.

Cały tydzień umierałem ze zdenerwowania. Doszedłem do wniosku, że pewnie zapomniałem wykreślić imię małego geniusza z którejś pracy domowej i teraz mam kłopoty.

Ale chodziło o coś ZUPEŁNIE innego.

Rodzice usłyszeli na spotkaniu, że bardzo podciągnąłem się w nauce i dlatego odtąd będę chodził na trudniejsze zajęcia.

Cóż, Frew na pewno doceni bardziej ambitne prace domowe, ale nie pomoże mi przecież podczas SPRAWDZIANÓW. No więc jeśli nie wymyślę, jak go przemycać do szkoły, pozawalam je co do jednego.

Kiedy rodzice wrócili ze spotkania, mama powiedziała, że trzeba uczcić „dobre wiadomości".

Co OCZYWIŚCIE oznaczało wypad do Staroświeckiej Lodziarni.

Już miałem trochę dosyć spędzania każdego wieczoru w miejscu pracy Rodricka. Dziadek chyba tak samo, bo powiedział mamie, że od lodów rozbolały go dziąsła i że tym razem poczeka na nas w domu.

Próbowałem użyć tego samego argumentu, ale mama okropnie się uparła.

Gdy weszliśmy do lokalu, Rodricka nigdzie nie było widać. A wtedy jego szef powiedział, że mój brat w ogóle nie pokazał się w pracy.

Mama dostała ataku PANIKI, więc wróciliśmy do auta
i rozpoczęliśmy poszukiwania. Zjeździliśmy całą
okolicę, nim wreszcie na niego wpadliśmy. Szedł
poboczem szosy.

Kiedy przystanęliśmy, Rodrick wsiadł do vana
i wyjaśnił, co się wydarzyło. Na drodze był straszny
korek, a on, nie chcąc spóźnić się do pracy, wjechał na
pas dla aut z więcej niż jedną osobą, bo nim jedzie się
DUŻO szybciej.

Ale przepisy są takie, że tego pasa mogą używać
kierowcy, którzy wiozą PASAŻERA.

Dlatego Rodrick postanowił udawać, że jego pasażerem jest Staroświecki Tobiasz.

Tylko że wypatrzył go jakiś spostrzegawczy gliniarz.

Policjant nie docenił poczucia humoru Rodricka. Wlepił mojemu bratu studolarowy mandat i nagadał mu z powodu mnóstwa złamanych przepisów, jak zepsuty tylny reflektor czy brak aktualnego przeglądu.

Potem odholował furgonetkę na pobocze drogi. Co oznaczało, że Rodrick stał się ŁATWYM CELEM dla wszystkich dzieciaków, które tak samo utknęły w korku.

Mama kazała tacie jechać do domu, bo chciała wrzucić kostium Rodricka do pralki. Ale kiedy znaleźliśmy się na naszej ulicy, wszędzie stały jakieś samochody.

Nawet na TRAWNIKU, a to już było naprawdę dziwne.

Musieliśmy zaparkować pod wzgórzem i pokonać tę odległość na piechotę. Gdy wreszcie dotarliśmy do naszego ogródka, usłyszeliśmy dobiegającą z domu głośną muzykę.

A kiedy otworzyliśmy drzwi wejściowe, naszym oczom ukazała się SZALONA impreza.

BRZDĘK

Przepchnęliśmy się przez tłum, żeby odnaleźć dziadka, który siedział na tyłach domu w naszym starym jacuzzi. Trudno było nie zauważyć, jak ŚWIETNIE się bawi.

Tata wyprosił gości, co zajęło mu całą WIECZNOŚĆ,
bo nikt jakoś nie kwapił się do wyjścia.

A kiedy już wszyscy sobie poszli, zrobił scenę o to,
że dziadek urządził balangę.

Dziadek oświadczył, że NIE ZAMIERZAŁ organizować imprezy. Zaprosił tylko JEDNĄ koleżankę z serwisu randkowego na oglądanie filmu, ale najwyraźniej niechcący mu się kliknęło „wyślij do wszystkich". No a potem te starsze panie po prostu stanęły w drzwiach.

Tata dosłownie wychodził z siebie, ale chyba czuł się niezręcznie, obmyślając karę dla własnego ojca.

Najwyraźniej nie umiał wpaść na nic lepszego, bo w końcu kazał mu iść do kąta.

I wiecie co? Powinniśmy byli lepiej przeszukać dom po powrocie, bo w pokoju Manny'ego odkryłem jeszcze dwie zadekowane staruszki. Pokazały się dopiero wtedy, gdy stwierdziły, że teren jest czysty.

Wtorek

Od czasu pamiętnej imprezy tata nie chce już zostawiać dziadka bez nadzoru. A kiedy TATY nie ma na miejscu, zastępują go inni domownicy.

Dziadek dostał karę, którą odbębnia przez godzinę dziennie, ale zamiast w kącie, odsiaduje ją przed telewizorem.

No a jak człowiek robi za klawisza, musi oglądać
to samo, co ARESZTANT.

W tygodniu dziadek zostaje SAM w domu
aż do popołudnia, a tata boi się chyba kolejnej
imprezy.

No więc poleciał do sklepu po kamerkę internetową,
żeby nawet pod swoją nieobecność mieć wszystko
na oku.

Nie wiem, gdzie ją UKRYŁ, ale wiem JEDNO.
Nie używa jej wcale do pilnowania DZIADKA.

Nie jestem za technologią, jeśli wymierza się ją WE MNIE. Kamera w domu to już przeginka, zważywszy że one teraz są dosłownie wszędzie.

Gdy człowiek zrobi coś wstydliwego w miejscu publicznym, na bank zostanie nagrany.

Najgorsze są kamerki w komórkach, bo dzisiaj ma je KAŻDY.

Pewnego dnia w wakacje, gdy wychodziłem z basenu, trochę zjechały mi kąpielówki, no i wszyscy to zobaczyli.

Zanim zdążyłem wyschnąć, moje zdjęcia krążyły już po całym internecie.

Carla

Takie widoki dzisiaj na basenie!
👍 24 osoby lubią to

Nancy

Ręce opadają
(i nie tylko ręce)!

W dzisiejszych czasach człowiek może wpaść w tarapaty nawet z powodu SELFIE. Parę miesięcy temu poszliśmy po mszy na drugie śniadanie, a kiedy opuszczaliśmy restaurację, poczułem, że chyba wlazł mi w zęby szpinak.

W pobliżu nie było żadnego lustra, więc wziąłem komórkę mamy, żeby strzelić sobie fotkę.

Ale jakaś kobieta przede mną uznała, że robię zdjęcie JEJ, i nie odpuściła, póki nie przejrzała wszystkich zdjęć mamy w aparacie.

Chyba właśnie wtedy mama wpadła na ten pomysł z elektrodetoksem.

A skoro już o nim mowa, w końcu udało jej się zebrać wszystkie wymagane podpisy.

WYCISNĘŁA je z imprezowiczek wychodzących z naszego domu.

Po tym jak mama zaniosła petycję do ratusza, odbyło się głosowanie i jej wniosek przeszedł. No więc w najbliższą sobotę całe miasto odstawia elektronikę aż do poniedziałku.

Mama przekazuje teraz sąsiadom swoją dobrą nowinę.
A ja próbuję jakoś to przeczekać, chociaż lekko
nie jest.

Takie odcięcie się od świata to niedobry pomysł.
Jeśli nastąpi apokalipsa zombie albo jakaś inna afera,
dowiemy się jako ostatni.

<u>Piątek</u>

Podczas weekendu bez elektroniki wszyscy mają przyjść do parku miejskiego na dobrowolne porządkowanie terenu.

Cóż, potrzeba znacznie więcej niż jedno popołudnie, żeby ogarnąć TAKI bałagan.

Ostatnio park wygląda jak scenografia filmu o wojnie nuklearnej.

Kiedyś było tam ŁADNIE, ale potem miastu skończyły
się pieniądze.

Cały hajs wpompowano w pas ruchu dla osób
z telefonami komórkowymi. Podobno na ZWYCZAJNEJ
ścieżce ludzie w ogóle nie patrzyli przed siebie.

I tak kasa przeznaczona na sprzątanie parku poszła
na pas dla użytkowników elektronicznych gadżetów.

Tylko że projekt okazał się zbyt drogi i został zarzucony, zanim ukończono mostek nad płynącym przez park strumykiem.

Wtedy park zaczął naprawdę popadać w ruinę. Rodziny omijają go szerokim łukiem, odkąd zaczęły nim trząść nastolatki. Jeśli ci ludzie od sprzątania mają trochę rozumu, najpierw powinni rozejrzeć się za jakimś tępicielem wyspecjalizowanym w młodzieży.

Sobota

Nie mam pojęcia, o której się obudziłem, bo budzik na komódce Manny'ego był wyłączony. Zresztą WSZYSTKO w domu było wyłączone, co oznacza, że mama postanowiła pójść na całość.

Zaraz potem zauważyłem, że po ulicy spaceruje MNÓSTWO ludzi. Wyraźnie chcieli się poczuć jak za dawnych czasów.

Ja miałem zamiar po prostu wyciągnąć się na kanapie i cały dzień czytać komiksy, ale tata powiedział, że powinienem skorzystać z „ruchu pieszego" w sąsiedztwie.

Oświadczył, że kiedy ON był dzieckiem, razem z Gilesem założył stoisko z lemoniadą i zarobili tyle pieniędzy, że każdy kupił sobie deskorolkę. A ja musiałem przyznać, że to REWELACYJNY pomysł.

Tata totalnie mnie zaskoczył. Dostałem od niego „kapitał inwestycyjny": dwadzieścia dolców na rozkręcenie biznesu.

Do interesu brakowało mi wspólnika, dlatego poszedłem do Rowleya i powiedziałem mu, żeby wpadł.

Myślałem, że najpierw poszukamy przepisu na lemoniadę w internecie, ale mama schowała kabel zasilający od komputera. Tatę trochę wstydziłem się zapytać, więc postanowiliśmy działać na czuja.

Pewne było jedno: potrzebowaliśmy cytryn. No to pojechaliśmy na rowerach do spożywczaka i kupiliśmy wszystkie, jakie mieli.

Kiedy wróciliśmy, nie mogliśmy się zdecydować, ile cytryn wrzucić do dzbanka. Na wszelki wypadek postanowiliśmy nie oszczędzać.

Byłem pewien, że poza tym potrzebujemy CUKRU, tylko nie wiedziałem ILE. W końcu dosypaliśmy go na oko.

Zdawało mi się, że teraz możemy już iść na dwór, ale wtedy przyszedł tata, zobaczył lemoniadę i powiedział, że wszystko zrobiliśmy źle.

Oświadczył, że te ZIELONE cytryny to tak naprawdę LIMONKI, no więc musieliśmy je wyłowić.

Potem dodał, że do lemoniady każdą cytrynę trzeba PRZEKROIĆ, a następnie WYCISNĄĆ do wody. Cóż, wielka szkoda, że nie wiedzieliśmy tego wcześniej.

Rowley nie chciał kroić cytryn. Powiedział, że oczy mu będą łzawiły. Na co odparłem, że chyba mu się pomyliło z CEBULAMI.

On jednak tak się uparł, że musiałem coś zrobić, bo inaczej nie kiwnąłby palcem.

No więc zacząłem szperać w garażu, aż znalazłem maskę, którą Rowley mógł założyć na oczy.

Kiedy wyluzował, zaczęliśmy kroić cytryny. Co okazało się DUŻO trudniejsze, niż sądziłem.

Gdy tylko zagłębiłem nóż w PIERWSZEJ cytrynie, sok chlusnął mi prosto w oko.

Piekło JAK NIE WIEM CO i w dodatku prawie oślepłem. Rowley wyjął fajkę do nurkowania z ust, żeby móc powtarzać: „A nie mówiłem?", ale ja nie zamierzałem go słuchać.

Kiedy odzyskałem wzrok, pokroiliśmy i wycisnęliśmy resztę cytryn, po czym rozstawiliśmy stoisko na chodniku.

Parę osób przystanęło, jednak tylko po to, żeby nas skrytykować. Jakaś kobieta powiedziała, że powinniśmy zamieszać lemoniadę, bo wtedy cukier lepiej się rozpuści. I choć to ZROBILIŚMY, i tak jej nie kupiła.

Potem jakiś koleś, który spróbował lemoniady, zaczął marudzić, że jest za SŁODKA.

Następne osoby przyznały mu rację. Wtedy wylałem połowę dzbanka, po czym dopełniłem go wodą.
Ale ludziom nie spodobało się, SKĄD ją wziąłem.

Innemu gościowi przeszkadzało, że klienci piją z tej samej szklanki, chociaż mu wyjaśniłem, że płuczemy ją po każdym użyciu.

Wreszcie nam się znudziło to siedzenie na słońcu. Stwierdziliśmy, że nasze stoisko równie dobrze może być punktem samoobsługowym. Obok dzbanka postawiliśmy słoik na pieniądze.

Ale gdy tylko uwierzysz w uczciwość obywateli, pojawia się ktoś, kto wszystko RUJNUJE.

Wtedy zrozumieliśmy, że musimy zacisnąć zęby i na poważnie zająć się biznesem. Z szafki kuchennej wzięliśmy jeszcze jedną szklankę i wróciliśmy na zewnątrz.

Zauważyłem, że ludzie idący POD GÓRĘ wyglądają na dużo bardziej spragnionych od tych idących W DÓŁ. By wykorzystać to spostrzeżenie, wprowadziliśmy nowy cennik.

Jacyś ludzie wrzucili do naszego słoika trochę monet EKSTRA. Od tego momentu zaczęliśmy dopominać się o NAPIWKI, bo to był czysty zysk bez żadnych nakładów własnych.

Zacząłem już wierzyć, że nam się udało; gdy nagle jeden dzieciak, Cedric Cunningham, postawił SWOJE stoisko z lemoniadą parę domów dalej.

I było oczywiste, że musieli pomagać mu rodzice, bo przy JEGO stoisku NASZE wyglądało jak ŻART.

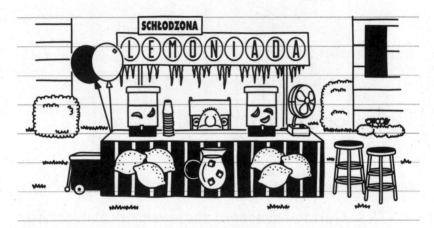

Widzicie, cały problem polega na tym, że kiedy wpadacie na oryginalny pomysł, zaraz pojawia się milion naśladowców.

Ja jednak, jako profesjonalista, nie zamierzałem brać osobiście tej śmiesznej rywalizacji. Zaproponowałem Cedricowi dwa baksy za to, że rozbierze swoje stoisko, a on się zgodził.

Ale już minutę później ustawił je z powrotem, tym razem po drugiej stronie ulicy, dokładnie naprzeciwko naszego.

Zaczynałem się już irytować, bo lemoniada była na ukończeniu, a wiedziałem, że tata nie da nam więcej kasy na składniki.

I wtedy zrozumiałem, że zaoszczędzimy sobie sporo stresu, jeśli przerzucimy się na WODĘ.

Zwłaszcza że Cedric zmonopolizował cały rynek handlu lemoniadą. W czym NIEWĄTPLIWIE mu pomógł jego nowy szyld.

Wiedziałem, że jeśli mamy sprzedawać zwykłą wodę, musi być wyjątkowa, by ludzie chcieli za nią PŁACIĆ. Wymyśliłem więc fantastyczną nazwę i napełniłem po brzegi basenik Manny'ego, żeby towaru starczyło nam na długo.

Nazywając nasz produkt Wodą Fitness, musieliśmy pokazać ludziom, jak on DZIAŁA. Dlatego kazałem Rowleyowi porobić trochę pajacyków i pompek przed stoiskiem.

Niestety Rowley jest raczej bez formy, więc wizerunkowo najlepiej to nie wypadło.

Zaraz potem zobaczyłem, jak w górę ulicy jedzie rowerem jakiś wysportowany koleś. Chciałem odpalić mu parę dolców za mówienie wszystkim po drodze, że pił NRGię, Wodę Fitness.

On jednak miał chyba lepsze rzeczy do roboty, bo odparł, że nie jest zainteresowany.

Niestety usłyszał nas koleś idący W DÓŁ ulicy. Oświadczył, że Z MIŁĄ CHĘCIĄ zareklamuje nasz produkt.

Nie chciałbym być przykry czy coś, ale ten gość absolutnie nie miał wyglądu, o który nam chodziło.

Żeby jakoś faceta spławić, dałem mu trzy dolce za mówienie, że NIE pił naszej wody.

Wtedy sobie uświadomiłem, że nadal rywalizujemy z dzieciakiem po drugiej stronie ulicy i że jeśli chcemy zarobić KONKRETNE pieniądze, musimy podbić nowe rynki.

I znałem nawet idealne do tego miejsce: park.

Trwało tam właśnie wielkie sprzątanie, czyli mogliśmy liczyć na TŁUM spragnionych ochotników.

Załadowaliśmy zatem na wózek tyle naszego produktu, ile zdołaliśmy, i ruszyliśmy w dół wzgórza.

W połowie drogi do parku Rowley powiedział, że jest odwodniony i że musi się czegoś napić. Nie chciałem tracić czasu, ale wyglądał, jakby zaraz miał zemdleć, więc nie protestowałem, kiedy brał butelkę. Tylko sobie zapisałem, że trzeba mu to odliczyć podczas dzielenia zysków.

Wydawało się, że do parku przyszło całe MIASTECZKO. Ludzie pracowali naprawdę ciężko, a z nieba lał się ukrop.

Trafił nam się też BONUS w postaci zepsutego wodotrysku. Ochotnicy nie mieli jak zaspokoić pragnienia, a ja i Rowley czuliśmy już, że to będzie interes ŻYCIA.

Niestety mama od razu nas zauważyła i zapytała, co tu robimy.

Wyjaśniłem, że będziemy sprzedawać naszą Wodę Fitness każdemu, kto zechce wysupłać parę baksów.

Ona jednak odparła, że „w złym guście" byłoby
żerować na ochotnikach, którzy poświęcili swoją
wolną sobotę na porządkowanie parku. Ja zaś
odpowiedziałem, że ci, którzy wypiją naszą wodę,
będą pracować ZA DWÓCH i całe sprzątanie pójdzie
dużo szybciej.

Kiedy ja i mama sprzeczaliśmy się o to, panie sadzące
kwiaty zrobiły desant na wózek z towarem.

I zanim zdążyliśmy zareagować, wychlapały naszą
Wodę Fitness, jakby to był jakiś tani szmelc.

Dokonałem szybkich obliczeń i wyszło mi,
że co najmniej dwieście dolców ze straconych
przychodów wsiąkło bezpowrotnie w ziemię. A te
kobiety dalej sadziły sobie kwiatki, jak gdyby nic się
nie stało.

Nadal jednak nie było za późno na zarobek.
Rowley i ja zebraliśmy puste butelki i ruszyliśmy
do strumyka, żeby je napełnić.

Wtedy mama zastąpiła mi drogę. Powiedziała, że mamy pomóc ochotnikom, i wręczyła nam jakieś narzędzia ogrodowe.

Zacząłem jej tłumaczyć, że jesteśmy BIZNESMENAMI, a PRAWDZIWI biznesmeni nie pracują społecznie. Ale nim w ogóle skończyłem mówić, Rowley już klęczał na ziemi i sadził byliny.

Wiedziałem, że muszę dać nogę, zanim i JA będę stracony. Mama to jednak przewidziała.

Oznajmiła, że kiedy byłem mały, każdego dnia przyprowadzała mnie do parku, i że z tym miejscem wiążą się jej najpiękniejsze wspomnienia.

Powiedziała też, że jeśli NIE posprzątamy, INNE
mamy nie przeżyją równie cudownych chwil
ze SWOIMI dziećmi.

Widzicie? Ona WIE, jak mnie podejść. No i w ten
właśnie sposób, zanim się spostrzegłem, już grabiłem
liście za FRIKO, zamiast zarobić furę siana.

Grabie, które mi dała, to był jakiś straszny rupieć,
ale gdy poprosiłem o inne, oświadczyła, że każdy
tu daje z siebie wszystko bez narzekania na sprzęt.

Pół godziny grabiłem nędzną kupkę liści. Aż nagle
przebiegła przez nią gromadka jakichś bachorów
i cały mój trud poszedł na marne.

Nie pytajcie mnie, czemu ludzie przyprowadzili
na porządkowanie parku małe dzieci. One
BYNAJMNIEJ nie pomagały. Wręcz przeciwnie,
BEZ PRZERWY szukały kłopotów.

W pewnym momencie część zaczęła się bawić
w stercie nawozu i ktoś musiał je stamtąd wyciągnąć.

Te całe porządki były TOTALNIE niezorganizowane.
Nie wybrano żadnego szefa, więc wśród ochotników
panował kompletny CHAOS.

A to jeszcze NIE WSZYSTKO. W pewnym momencie
na parkingu zatrzymał się busik i wyszła z niego
gęsiego grupka nastolatków w pomarańczowych
kombinezonach.

Najwyraźniej ci goście mieli odpracować w parku karę za takie wykroczenia jak kradzież sklepowa czy wandalizm. Coś mi się też wydaje, że niektórzy z nich byli bezpośrednio odpowiedzialni za graffiti na placu zabaw.

Tych gości od prac społecznych bardziej niż harówa interesowały wygłupy. A niektóre z ich żartów były NIEBEZPIECZNE.

Kiedy już się zdawało, że nie może być gorzej, kilka furgonetek wjechało na parking i wysypał się z nich cały zastęp harcerek.

Od razu było widać, że z nimi NIE MA żartów.

Harcerki w dziesięć minut podzieliły ochotników
na oddziały, a same objęły dowodzenie.

Moja drużyna miała grabić liście na placu zabaw.
Rozkazy przyjmowaliśmy od dziewczynki w mundurku
zucha.

Trochę to było krępujące, ale, prawdę mówiąc,
CIESZYŁEM SIĘ, że te laski postawiły ochotników
do pionu.

W ogóle za każdym razem jak widzę harcerkę w akcji,
jestem pod DUŻYM wrażeniem.

Parę miesięcy temu miasto chciało założyć ogród
społeczny, który mogliby uprawiać wszyscy
mieszkańcy. Tylko że ludzie jakoś nie mogli się
dogadać i prace stanęły w miejscu.

No a wtedy harcerki dały czadu i cały ogród powstał
w jedno niedzielne popołudnie.

Coś wam powiem: gdyby na czele takiego
przedsięwzięcia postawić chłopaków w moim wieku,
nic dobrego by z tego nie wyszło. Zwłaszcza jeśli
w grę wchodziłyby ELEKTRONARZĘDZIA.

Chociaż harcerki miały w parku inne zadania,
nie chciały stracić okazji do zbiórki na szczytne cele.
Zorganizowały punkt sprzedaży ciasteczek, a jedną
z ich pierwszych klientek okazała się moja MAMA.
Cóż, chyba zmieniła zdanie co do ludzi wciskających
swój towar ochotnikom.

Choć byłem zadowolony z interwencji dziewczyn,
one KONKRETNIE wzięły nas w obroty. Po godzinie
grabienia padałem z nóg i chciałem wrócić do domu.
Nie ulegało jednak wątpliwości, że harcerki NIKOGO
nie wypuszczą. Musieliśmy wytrwać do ostatniego
liścia.

Drugą osobą, która trochę miała dość, był mój partner
do zadań domowych, czyli Frew.

Ludzie odkryli, jaki z niego bystrzak, i paru dorosłych zaczęło nękać dzieciaka pytaniami, które zwykle zadaje się TELEFONOM.

Zauważyłem, że co pół godziny harcerki przechodzą z oddziału do oddziału. No więc podczas takiej zmiany warty dostrzegłem swoją szansę i WYKORZYSTAŁEM ją.

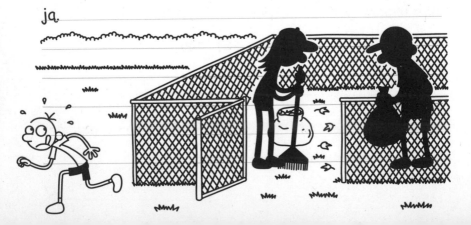

NIE MIAŁEM WĄTPLIWOŚCI, dokąd pójdę:
nad strumyk.

Kiedy w pierwszej klasie należałem do drużyny
pływackiej, tata codziennie podrzucał mnie na basen.
Ale GDY TYLKO odjeżdżał, biegłem do strumyka,
gdzie zabawiałem się łapaniem małych rybek aż
do końca treningu.

Zawsze wracałem na basen przed tatą, po czym na
sekundę zanurzałem się w wodzie, żeby wyglądać jak
ktoś, kto przez cały czas pływał.

HOP

Pewnego razu tata przyjechał WCZEŚNIEJ, bo chciał zobaczyć, jak trenuję. No a ja tak świetnie się bawiłem, że zapomniałem o całym świecie.

Tamtego dnia dotarłem więc na miejsce JAKO DRUGI i zostałem schwytany na gorącym uczynku.

Dzisiaj pomyślałem, że tylko sobie trochę odsapnę, a potem wrócę do pracy.

Ale zaraz po dotarciu nad strumyk usłyszałem, że ktoś przedziera się przez chaszcze.

To był Frew. Zobaczył, jak daję nogę z placu zabaw, i poszedł w MOJE ślady.

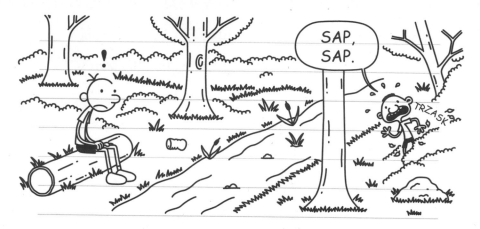

Frew wyznał, że nie mógł dłużej znieść namolności dorosłych, więc wziął ze mnie przykład i też postanowił nawiać.

Kiedy to powiedział, dobiegł nas jakiś dźwięk. Przez krzaki przeciskało się coś DUŻEGO. Najpierw pomyślałem o NIEDŹWIEDZIU, ale opadła mi szczęka, gdy zobaczyłem gościa w pomarańczowym kombinezonie.

W dodatku ja tego kolesia ZNAŁEM. Nazywał się
Billy Rotner i często przesiadywał w naszej piwnicy
podczas prób kapeli Rodricka.

Jakiś miesiąc temu podsłuchałem, jak Rodrick mówi
jednemu ze swoich kumpli, że Billy wpadł z torebką
kwaskowatych żelkowych robali, którą podwędził
w spożywczym.

Nie byłem zachwycony tym, że Billy przylazł za mną
do mojej kryjówki. Powiedziałem, że powinien wracać
do parku, zanim WSZYSCY wpadniemy w tarapaty.

On jednak oznajmił, że ucieka i że nie chce więcej SŁYSZEĆ o pracach społecznych.

Potem zaczął pociągać nosem i opowiedział, co się zdarzyło, kiedy był małym brzdącem. Dostał od mamy kwaskowate żelkowe robale na spółkę z bratem.
Ale ten brat wcale się z nim nie podzielił i zeżarł wszystkie żelki.

Billy wyjaśnił, że zachachmęcił żelki tylko dlatego, że chciał mieć wreszcie torebkę kwaśnych robali tylko dla SIEBIE.

Czułem się coraz bardziej nieswojo, słuchając tych zwierzeń, i miałem nadzieję, że może Frew przemówi mu do rozsądku.

Lecz on wtedy zaczął SWOJĄ WŁASNĄ opowieść.

Powiedział, że rodzice każą mu wstawać o piątej przez sześć dni w tygodniu i uczyć się do olimpiady z geografii, a on nigdy nie może pograć w laserowego paintballa, bo mama i tata mówią, że to strata czasu.

Tego już było dla mnie za wiele. Zdecydowałem, że wolę raczej grabić liście niż słuchać ich wynurzeń.

No więc zacząłem iść w stronę placu zabaw. A wtedy, ni stąd, ni zowąd, jak SPOD ZIEMI wyrosła ta dziewczynka z zuchów.

Instynktownie RZUCIŁEM SIĘ do ucieczki. Frew i Billy zobaczyli, jak daję nogi za pas, i puścili się biegiem za mną.

Ale dziewczynka miała GWIZDEK i nim się obejrzeliśmy, cały zastęp deptał nam po piętach.

Dawałem z siebie WSZYSTKO, bo nagle zdałem sobie sprawę, że Frew i ja możemy nieźle oberwać za ukrywanie zbiega.

Nie miałem pojęcia, czy harcerkom wolno nas
ARESZTOWAĆ, ale nie zamierzałem tego sprawdzać
na własnej skórze.

Nie zamierzałem też ułatwiać im zdobycia odznaki
za złapanie przestępców.

Kiedy zaczął się pościg, Billy wyszedł na prowadzenie.
Ja i Frew po prostu biegliśmy za NIM. Było pewne,
że ma doświadczenie w tych sprawach, bo wyglądał,
jakby doskonale wiedział, co robi.

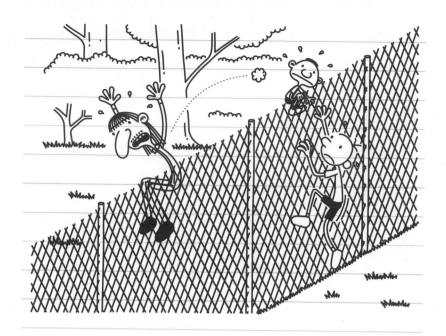

Wreszcie zdołaliśmy oddalić się od harcerek.
Już ledwo słyszeliśmy gwizdek. Przystanęliśmy więc,
żeby złapać oddech.

Billy powiedział, że trzeba uzupełnić zapasy energii.

Wyciągnął poukrywane w kombinezonie ciasteczka
i podzielił między nas trzech.

Cóż, założyłem, że ZAPŁACIŁ za te ciasteczka
harcerkom. Ja w każdym razie nie chciałem
o NICZYM wiedzieć.

Kiedy już podładowaliśmy baterie, Billy oświadczył,
że powinniśmy pozbyć się naszych CIUCHÓW,
bo jeśli harcerki użyły PSÓW tropiących, musimy
je zmylić.

I wtedy coś do mnie dotarło. Skoro ten gość nie zdołał uciec z torebką żelkowych robali, to prawdopodobnie był OSTATNIĄ osobą, od której należało przyjmować takie rady.

Zrozumiałem, że popełniłem WIELKI błąd, i zacząłem szukać wyjścia z sytuacji. No więc powiedziałem pozostałym, że powinniśmy się rozdzielić, bo wtedy trudniej będzie nas wyłapać.

Ale Frew odparł, że powinniśmy trzymać się RAZEM.

Zasugerował, że moglibyśmy podróżować po kraju i przeżywać zwariowane przygody, może nawet zatrudnić się w cyrku.

Billy'emu chyba spodobała się ta myśl. A potem ci
dwaj zaczęli się kłócić o to, kto zgarnie kasę za prawa
filmowe do naszej historii, jak już będziemy sławni.

Postanowiłem skorzystać z okazji i dać po cichu
drapaka. Ale kiedy się odwróciłem, ujrzałem
furgonetki, które pojawiły się jakby ZNIKĄD.

WRUM   WRUM

W pierwszej z nich zobaczyłem mamę, a w kolejnych
harcerki.

Myślałem, że Frew podejmie jeszcze próbę ucieczki
bez ciuchów.

Lecz po tej całej płomiennej przemowie o życiu poza prawem mały zupełnie się załamał.

Sądziłem, że mama będzie na mnie wściekła, lecz ona chyba poczuła ULGĘ. Chciała tylko wiedzieć, co mi strzeliło do głowy.

Doszedłem do wniosku, że Billy tak czy siak idzie na dno. A nie było powodu, żeby pociągnął za sobą i NAS. Dlatego wszystko zwaliłem na niego.

Nie czułem się z tym dobrze. Choć pragnę przypomnieć, że kradzież ciasteczek to był JEGO pomysł.

Nie wiem, ile prac społecznych dorzucą Billy'emu do wyroku. Ale do czasu gdy on się z nimi OGARNIE, ja zamierzam już być na studiach na drugim końcu kraju.

Najbardziej niewiarygodne jest to, w jaki sposób mama TAK SZYBKO mnie znalazła.

Przyznała, że gdy kupiła GPS dla ŚWINI, zaopatrzyła się też w drugi. Dla MNIE. Więc przez ostatnie dwa miesiące łaziłem z tym ustrojstwem przyczepionym do sznurowadła.

A kiedy zniknąłem z parku, mama użyła swojego SMARTFONA, żeby mnie namierzyć.

To nie jest jednak najlepszy moment, żeby oskarżać mamę o nadopiekuńczość. Bo gdyby nie przybyła mi na ratunek, mógłbym skończyć z tamtymi dwoma w cyrku.

A swoją drogą to tyle w temacie elektrodetoksu.

PAŹDZIERNIK

<u>Piątek</u>

Tata już wcześniej się czepiał, ale TERAZ jest sto razy gorzej.

Po incydencie w parku całkiem przestał mi ufać. Najchętniej trzymałby mnie i dziadka w jednym pokoju, żeby nie spuszczać oka z nas OBU.

W sumie wolałbym nie wiedzieć o ukrytej kamerce, bo zaczynam przez nią popadać w paranoję. I w ogóle dochodzę do wniosku, że tych kamer może być WIĘCEJ.

Jestem niemal pewien, że jedna jest w pluszowej kaczce Manny'ego. Czuję, że jej oczy śledzą każdy mój ruch.

Lecz jeśli w środku jednak NIE MA kamery, to przez ostatnie dni robiłem z siebie kompletnego idiotę.

Na szczęście tata pojechał dziś w podróż służbową. Mama zawiozła go rano na lotnisko. Co oznacza, że przez pewien czas nie będę monitorowany. Choć i tak muszę zachować środki ostrożności, na wypadek gdyby tata miał jedną z tych kamer, które zrzucają nagranie na jakiś twardy dysk.

Tego ranka podczas mycia zębów bardzo się starałem umieścić nakrętkę z powrotem na tubce.

No ale miałem mokre palce i nakrętka wpadła mi do umywalki.

Podskoczyła parę razy, a potem wleciała do odpływu.

Wiedziałem, że gdy TYLKO tata przekroczy próg domu, pójdzie do łazienki na piętrze sprawdzić, czy pasta jest zakręcona. Czyli MUSIAŁEM odzyskać tę nakrętkę.

Najpierw próbowałem wyjąć ją patyczkiem do uszu. Ale udało mi się wyciągnąć tylko kłąb włosów i inne paskudztwa.

Teraz, kiedy już wiem, co ludzie mają w umywalkach, zapewniam was, że nigdy nie zostanę hydraulikiem.

Zdałem sobie sprawę, że tym patyczkiem wepchnąłem nakrętkę jeszcze GŁĘBIEJ, więc otworzyłem szafkę pod umywalką, żeby zobaczyć, czy dam radę jakoś ją namierzyć.

Tata trzyma w piwnicy trochę książek o hydraulice dla majsterkowiczów. Pomyślałem, że znajdę tam instrukcję, jak rozwiązać problem.

Nic nie zrozumiałem z tych wszystkich wykresów, dlatego postanowiłem improwizować. Pod umywalką była taka plastikowa tuba, a nakrętka musiała znajdować się gdzieś w jej wnętrzu.

Odkręciłem to, co trzymało razem plastikową tubę
i metalową rurę. Bardzo łatwo mi poszło.

Ale chyba najpierw powinienem był zakręcić jakiś
zawór czy coś, bo woda chlusnęła na wszystkie strony.

Po jakiejś minucie doszedłem do tego, gdzie zakręca
się zawór, lecz na podłodze była już wielka kałuża.

Zacząłem wycierać kafelki ręcznikami wiszącymi w łazience. A potem pognałem do pralni po więcej ręczników.

Kiedy znalazłem się w kuchni, zrozumiałem, że mam WIĘKSZY kłopot.

Powiedziałem dziadkowi, skąd leci ta woda, on jednak nie wydawał się specjalnie przejęty. Stwierdził, że nic się przecież nie stało. Nie licząc, OCZYWIŚCIE, plamy na suficie.

Ucieszyłem się, że tak to widzi, choć byłem pewien, że tata oceni sytuację INACZEJ.

Zacząłem błagać dziadka, żeby pomógł mi z całym tym bałaganem, a on się zgodził. Powiedział, że jest specjalna farba do zamalowywania plam po wodzie i że pojedziemy po nią do sklepu żelaznego.

To brzmiało jak PLAN. Dziadek wziął kluczyki taty i wsiedliśmy do samochodu. Ale gdy wyjeżdżaliśmy tyłem z podjazdu, wpadliśmy na śmietnik.

Nie bardzo mnie to zmartwiło. Dopiero kiedy walnęliśmy w SKRZYNKĘ NA LISTY sąsiada, zacząłem się niepokoić.

Zdałem sobie sprawę, że nie pamiętam, kiedy po raz ostatni widziałem dziadka za kierownicą. Aż wreszcie coś do mnie dotarło: rok wcześniej dziadek musiał ponownie przystąpić do egzaminu. Oblał go i odebrali mu PRAWKO.

120

Co oznacza, że już nie może prowadzić.

Strasznie się zdenerwowałem, więc zapytałem
dziadka, czy nie powinniśmy jednak wrócić do domu.
Lecz na otwartej drodze staruszek poczuł wiatr
w żaglach i już nie było odwrotu.

Gdy opuściliśmy nasze sąsiedztwo, wyglądało na to,
że wszystko sobie przypomniał. Ale kiedy dotarliśmy
do wjazdu na autostradę, i tak serce miałem w gardle.

Na szczęście o tej porze dnia nie było tam wielu ludzi,
a sklep żelazny znajdował się zaledwie kilka
kilometrów dalej.

Co dziwne, wszystkie znaki drogowe pokazywały odwrotny kierunek.

Dopiero kiedy zobaczyłem dwa auta nadjeżdżające z naprzeciwka, zrozumiałem, że dziadek w jakiś sposób pomylił ZJAZD z autostrady z WJAZDEM i że jedziemy POD PRĄD.

Dziadek wdepnął hamulec i auto obróciło się o sto osiemdziesiąt stopni, zanim wylądowało na pasie awaryjnym. To CUD, że nie mieliśmy stłuczki, a fakt, że znajdowaliśmy się o włos od śmierci, nieźle nami potrząsnął.

W tych okolicznościach plama z wody na suficie wydawała się zupełną błahostką. Ja i dziadek zgodziliśmy się, że powinniśmy po prostu wrócić do domu i machnąć na nią ręką.

Przynajmniej TERAZ mogliśmy ruszyć we właściwym kierunku. Ale kiedy dziadek zapuścił silnik, przejechaliśmy nie więcej niż metr.

Najpierw myślałem, że coś się popsuło, jak dziadek dał po hamulcach. Gdy jednak zerknąłem na deskę rozdzielczą, odkryłem, że skończyła nam się BENZYNA.

Rodrick poprzedniego wieczoru brał auto do pracy i OCZYWIŚCIE nie zatankował.

Dziadek zobaczył znak informujący o warsztacie półtora kilometra dalej i oświadczył, że pójdzie po kanister benzyny.

Chciałem iść z NIM, ale on powiedział, że muszę zostać w aucie, na wypadek gdyby ludzie z wydziału dróg i mostów chcieli je odholować. Nie byłem tym rozwiązaniem zachwycony, lecz chyba nie miałem innego wyjścia.

Czekałem na niego przynajmniej GODZINĘ. Zaczynałem się trochę martwić, a kiedy spojrzałem w lusterko, coś zobaczyłem.

Grupa ludzi szła poboczem drogi w stronę samochodu. Najpierw niesamowicie się ucieszyłem, bo mogli nam jakoś POMÓC. Gdy jednak dostrzegłem ich pomarańczowe kombinezony, ZDRĘTWIAŁEM.

To był gang nastolatków skazanych na prace społeczne. I zmierzał w moim kierunku.

Kiedy ci goście podeszli bliżej, rozpoznałem wśród nich BILLY'EGO. Przez głowę przemknęła mi myśl o ucieczce, ale na otwartym terenie to było zbyt ryzykowne.

Wtedy zrobiłem jedyną rzecz, na jaką zdołałem wpaść, to znaczy zamknąłem drzwi, a potem się schowałem. W aucie niestety nie było dobrych kryjówek, więc po prostu wpełzłem pod deskę rozdzielczą i zamarłem w bezruchu.

Później wstrzymałem oddech i zacząłem się modlić. Ci kolesie całą WIECZNOŚĆ zbliżali się do samochodu, a kiedy wreszcie do niego PODESZLI, stwierdzili, że to świetna miejscówka na drugie śniadanie.

W końcu faceci z ekipy sprzątającej skończyli jeść
i poszli. Zostawili po sobie okropne pobojowisko,
co jasno pokazywało, jak traktują swoje obowiązki.

Kiedy stało się pewne, że są już daleko, postanowiłem
wrócić na miejsce pasażera. Ale tak zdrętwiały
mi OBIE nogi, że wstając, musiałem chwycić za gałkę
na konsoli centralnej.

Gdy to zrobiłem, gałka się przesunęła. Podobnie jak
cały SAMOCHÓD.

Niechcący wrzuciłem na LUZ i zacząłem JECHAĆ.

Auto nabierało prędkości, więc wcisnąłem hamulec.

I najwyraźniej coś się zacięło, bo wóz wcale nie stanął.

Miałem stracha, że zaraz włączę się do ruchu i zaliczę

zderzenie.

Wtedy ujrzałem DZIADKA nadchodzącego poboczem

z naprzeciwka i SPANIKOWAŁEM.

Szarpnąłem w lewo kierownicą, O WŁOS mijając
dziadka. Tylko że auto wjechało centralnie do ROWU.
I tam sobie czekało, aż mama dwie godziny później
przyjechała z pomocą drogową.

Gdybym mógł jeszcze raz przeżyć ten dzień,
po prostu zostawiłbym nakrętkę w odpływie.

<u>Poniedziałek</u>
BŁAGAŁEM mamę, żeby nie mówiła tacie
o samochodzie.

Ona jednak odparła, że błotnik jest cały pokrzywiony, więc nie da się tego UKRYĆ.

Zrozumiałem, że moja jedyna szansa to opuścić miasto. I znałem nawet ŚWIETNY sposób, by tego dokonać.

Nasza szkolna wycieczka zaczyna się dzisiaj i potrwa cały TYDZIEŃ. Do mojego POWROTU tata pewnie ochłonie. A przynajmniej minie mu pierwsza złość.

Dlatego powiedziałem, że zmieniłem zdanie i chcę jechać na obóz. Mama bardzo się ucieszyła.

Zadzwoniła do szkoły, by spytać, czy nadal mogę dołączyć, no i na szczęście było jeszcze miejsce.

Ja natomiast przeszukałem tornister i wyciągnąłem listę rzeczy, które nauczyciele kazali nam zabrać na wyjazd.

Głodowe Gospodarstwo
Zabierz:

środek odstraszający owady
buty do chodzenia po górach
ortalion
manierkę
plecak

dżinsy
torbę plastikową
krem z filtrem
przybory toaletowe
wełniane skarpety

ŻADNYCH elektronicznych gadżetów!
ŻADNEGO niezdrowego jedzenia!

Było już za późno, żeby kupować te wszystkie rzeczy, ale dobrze się złożyło, bo mama znalazła w garażu worek marynarski Rodricka. Mój brat nigdy go nie rozpakował po SWOIM wyjeździe. Choć minęło parę ładnych lat.

W środku były buty do chodzenia po górach, ortalion, manierka, środek odstraszający owady i inne rzeczy z listy. No i super.

Tyle tylko, że worek CUCHNĄŁ, bo Rodrick zostawił
w nim także nadgryzioną kanapkę z szynką, na której
coś wyrosło.

Trochę zestresowała mnie sytuacja z żarciem na
obozie i czułem pokusę, by przemycić w worku parę
batoników. Ale nie byłem pewien, jaką wlepią mi karę,
jeśli WPADNĘ, więc w końcu ukryłem słodycze
w szufladzie ze skarpetami, żeby nikt ich nie capnął
pod moją nieobecność.

Nie zamierzałem jednak rezygnować z odrobiny
KOMFORTU.

Wepchnąłem do worka Rodricka aż trzy paczki
Pachniutków, choć to oznaczało, że nie zmieści się
już ortalion.

Wcisnąłem Pachniutki na samo dno, bo nie chciałem zdradzić się przed mamą. Jej zdaniem chusteczki dla maluchów są zbyt drogie, żeby ich używał ktokolwiek z domowników poza MANNYM.

Widzicie, właśnie dlatego chcę być kiedyś obrzydliwie bogaty. Z kupą kasy na koncie kupię sobie tyle chusteczek dla bobasów, ile ZECHCĘ.

Ale dopóki nie mam własnych pieniędzy, muszę dalej okradać młodszego braciszka.

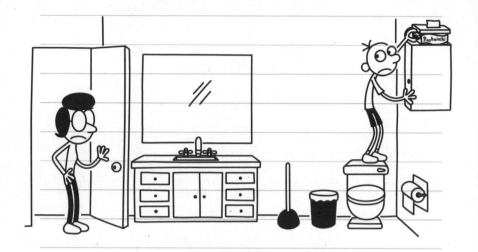

Gdy już byłem gotowy do drogi, dziadek wręczył mi jakąś książkę. Powiedział, że może się przydać.

Dziadek czytał tę książkę, kiedy był mały. Potem dał ją tacie. A teraz przyszła MOJA kolej.

Książka wyglądała nieco staromodnie, ale nie chciałem zrobić dziadkowi przykrości, więc powiedziałem, że wezmę ją ze sobą i przeczytam w pierwszej wolnej chwili.

JESZCZE zmieściła mi się do worka, a w sumie im więcej rzeczy leżało na Pachniutkach, tym lepiej.

Kiedy jednak mama podrzuciła mnie pod szkołę, zrozumiałem, że jestem TOTALNIE nieprzygotowany.

Inne dzieciaki brały ze sobą całe GÓRY bambetli, więc poczułem się trochę niepewnie.

Gdy załadowano wszystkie nasze graty, bagaże zajęły co najmniej połowę autokaru.

W efekcie ludzie mieli dwa razy mniej miejsca na siedzeniach, przez co podróż do Głodowego Gospodarstwa wydawała się O WIELE dłuższa.

Kiedy wreszcie dotarliśmy na miejsce
i przejechaliśmy przez bramę, odetchnąłem z ulgą.
Choć ostatni odcinek naprawdę BOLAŁ, bo to była
droga gruntowa.

Gdy wysiadaliśmy z autokaru, dzieciaki z innej szkoły
właśnie opuszczały gospodarstwo. Miały miny, jakby
tylko na to czekały.

Chłopak z tyłu trzymał kartkę z jakimiś gryzmołami, które wydały mi się kompletnie bez sensu.

Paru moich kolegów na widok tej kartki zaczęło konkretnie świrować. Jeden oświadczył, że jego starszy brat zaliczył obóz kilka lat wcześniej i wszystko mu opowiedział o Szczepanie Skrobaczu.

Podobno ten Szczepan Skrobacz był farmerem, który żył w Głodowym Gospodarstwie dawno temu, ale władze wykopały gościa z jego ziemi.

Wtedy odezwał się inny chłopak. Dodał, że PONOĆ
Szczepan Skrobacz zamieszkał w lesie, gdzie
przetrwał, żywiąc się ślimakami bez muszli i jagodami.
A potem Melinda Harrison dorzuciła, że Szczepan
Skrobacz OSZALAŁ i zapuścił naprawdę długie
paznokcie.

To ostatnie mogli sobie akurat darować. Od takich
rzeczy jak długie paznokcie dostaję gęsiej skórki.

Jeden z naszych wychowawców, pan Healey,
powiedział, że kiedy JEGO uczniowie byli w Głodowym
Gospodarstwie, chłopiec o imieniu Frankie natrafił
w lesie na chatę Szczepana Skrobacza. A potem już
nigdy nie był taki sam.

Każdy, kto JESZCZE nie słyszał o Szczepanie
Skrobaczu, TERAZ już o nim wiedział, bo wiadomości
rozprzestrzeniały się jak pożar.

Uznałem, że cała ta historia jest mocno niepokojąca.

ZAPEWNIAM was, że gdyby ktoś mi napomknął
o obłąkanym farmerze grasującym po terenie
Głodowego Gospodarstwa, wolałbym zostać w domu
i stawić czoło TACIE.

Po tym jak wyjęliśmy nasze rzeczy z autokaru,
zanieśliśmy je do głównego budynku, czyli wielkiej
drewnianej chaty z długimi stołami.

Kierowniczką tego całego interesu okazała się pani
Graziano. Kiedy wszyscy usiedli, opowiedziała nam
o zasadach życia obozowego. Było ich MNÓSTWO,
ale najważniejsza dotyczyła tego, że chłopaki
i dziewczyny pod żadnym pozorem nie mogą
odwiedzać się w chatach.

Pani Graziano oznajmiła, że to jej dziewiętnasty
pobyt w Głodowym Gospodarstwie i że nie pozwoli
na żadne głupie numery. Co powiedziawszy, dała znak
wychowawcom, którzy przeszukali nasze bagaże,
by sprawdzić, czy nikt nie przemycił elektronicznych
gadżetów albo śmieciowego żarcia.

Parę dzieciaków zostało przyłapanych z nielegalnym
towarem. Okazało się, że Mike Barrows
przeszmuglował pół kilo żelków rybek, a Duane Higgins
– monstrualne ciastko z kawałkami czekolady.

Byłem naprawdę zadowolony, że batoniki zostawiłem w domu, ale trochę się bałem, czy wychowawcy nie skonfiskują mi nawilżanych chusteczek. Kiedy jednak pan Jones powąchał mój worek, nie zechciał bardziej zagłębiać się w temat.

Potem mieliśmy lunch, na który podano hot dogi, fasolkę po bretońsku i faszerowaną paprykę. Nie było żadnych innych opcji, więc jeśli ktoś nie lubił którejś z tych rzeczy, musiał obejść się smakiem.

Po lunchu wychowawcy kazali nam wrzucić resztki do gara.

Nawet nie tknąłem faszerowanej papryki. Cała
wylądowała w kociołku.

Zapytałem pana Healeya, czemu to robimy, zamiast
zwyczajnie wyrzucić resztki do śmieci. Na co on
odparł, że w Głodowym Gospodarstwie nic nie może się
zmarnować i że ze wszystkiego, czego nie zjedliśmy
podczas TEGO posiłku, powstanie gulasz na KOLEJNY.

Dodał, że tak było również wtedy, kiedy on sam
przyjechał na obóz jako dziecko, i że nadal
używają tego samego garnka. Czyli w tym czymś
mogą znajdować się resztki sprzed nawet
TRZYDZIESTU lat.

Po lunchu pani Graziano i inne wychowawczynie
zabrały dziewczyny do ich domków.

Mama w ostatniej chwili chciała zgłosić się na
ochotnika jako dodatkowy opiekun, ale wolała nie
zostawiać Manny'ego z Rodrickiem i dziadkiem.
To okropny niefart, bo fajnie byłoby mieć w obozie
dziewczyn swoją wtyczkę.

My, faceci, zostaliśmy w stołówce, żeby poczekać
na przydział chat. W większości ekip były dzieciaki,
które w szkole trzymają się razem, ale w każdym
domku znalazł się też ktoś NA DOCZEPKĘ.

Nauczyciele chyba postanowili w ten sposób
rozdzielić ZADYMIARZY.

Jedyna grupa, w której wylądowało WIĘCEJ
zadymiarzy, dostała za wychowawcę pana Nuzziego.
No a pan Nuzzi pracuje jako strażnik więzienny,
więc chyba da sobie radę.

Dla mnie zostało już tylko miejsce u NIEDOBITKÓW
– dzieciaków, z którymi nikt inny nie chciał się
zadawać. Przydzielono tam też Rowleya.

Ucieszyłem się, że będę w jednym domku z Rowleyem, ale mniej z tego, że jego TATA jest naszym wychowawcą. Pan Jefferson nigdy za mną nie przepadał, więc nie szalałem z radości na myśl o całym TYGODNIU razem w jednym pomieszczeniu.

Od razu stało się jasne, że ten, kto mieszkał w chacie przed nami, nie zadał sobie trudu, żeby ją posprzątać.

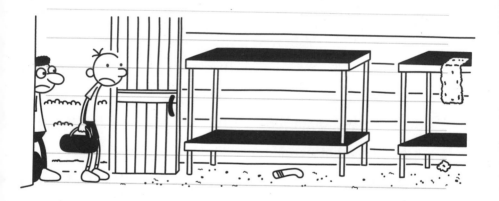

Jeden chłopak z mojej grupy, Julian Trimble, wyjątkowo źle zniósł sytuację. Warga zaczęła mu drżeć, gdy tylko weszliśmy do środka.

W sumie byłem zdziwiony, że Julian zdecydował się na wyjazd, bo on chyba jeszcze nigdy nie spędził nocy z dala od rodziców.

Kiedy byliśmy mali, to właśnie Julian co rano robił w szkole cyrk, bo nie chciał zostać bez mamy. Raz, w drugiej klasie, złapał się jej tak mocno, że musiał przyjść wicedyrektor i odczepić go siłą.

Z początku myślałem, że Julian SAM podjął decyzję o wyjeździe na obóz. Ale przypomniałem sobie poranną scenę przed szkołą i coś mi się zdaje, że jego mama użyła podstępu.

Gdy wszyscy zaczęli wybierać sobie łóżka, odkryłem, co mieli w tych wielkich torbach.

Sądziłem, że szefostwo obozu zapewni nam pościel, ale moje oczekiwania były chyba zbyt wygórowane.

Spośród rzeczy, które wziąłem z domu, poduszkę najbardziej przypominała bluza z kapturem. Która w dodatku śmierdziała kanapką Rodricka.

Trudno było też znaleźć materac bez żadnych podejrzanych plam. Żeby nie ryzykować, zdecydowałem się na górną pryczę. Bo gdyby to miejsce zajął Julian i zsikał się w nocy, wolałbym nie spać na dole.

Niestety miejsce POD SPODEM zajął pan Jefferson. Co oznacza, że tata Rowleya jest teraz moim kumplem z pryczy.

Po rozpakowaniu bagaży poszliśmy na plac gimnastyczny, żeby wykonać parę ćwiczeń „integrujących zespół".

Najpierw budowaliśmy „mur zaufania". Jeden z nas miał przewrócić się do tyłu i zostać złapany przez resztę. Chyba chodziło tu o pokazanie, że możemy na siebie liczyć.

Tylko że Jordan Lankey wykonał swój upadek, kiedy jeszcze zastanawialiśmy się, gdzie stanąć.

Wtedy pan Jefferson kazał nam stworzyć „sieć",
czyli dobrać się w pary i chwycić za nadgarstki.
Dlatego gdy Jeffrey Swanson wszedł na platformę,
myśleliśmy, że jesteśmy gotowi.

Ale Jeffrey to duży chłopak, więc Rowley i Gareth Grimes runęli pod jego ciężarem na ziemię i nieźle się poobijali.

Gareth stracił jeden z przednich zębów i wszyscy na czworakach zaczęliśmy go szukać. Aż wreszcie Emilio Mendoza odnalazł ząb Garetha. Był w CZOLE Rowleya.

Pan Jefferson kazał Emiliowi polecieć po pielęgniarkę, a ona przyniosła mokrą ścierkę, żeby zatrzymać krwawienie.

Ale nie dała rady wyciągnąć zęba z czoła Rowleya,
bo naprawdę mocno tam utkwił.

Pan Jefferson zadzwonił do swojej żony, żeby
przyjechała i zabrała ich syna. Nie mam pojęcia,
co się robi w takich sytuacjach, więc nie wiem nawet,
czy Rowley trafił do chiruga, czy raczej do dentysty.

W ten sposób pan Jefferson skończył jako
wychowawca dzieciaków, z których ani jeden nie był
JEGO. A my dalej wykonywaliśmy ćwiczenia uczące,
jak stworzyć zgrany zespół, lecz każde z nich
dowodziło tylko, że jesteśmy BEZNADZIEJNYM
zespołem.

W jednym z zadań byliśmy strażą pożarną. W czymś
w rodzaju sztafety mieliśmy przenieść wodę z rzeki
aż do naszej chaty.

Pierwszy chłopak napełniał swój kubeł, przelewał wodę do kubła drugiego chłopaka i tak dalej.

Wychlapaliśmy jednak tyle wody po drodze do chaty, że prawie nic nie trafiło do miednicy, którą należało napełnić.

Zdaliśmy sobie sprawę, że jeśli mamy ukończyć zadanie, musimy zmienić technikę. No więc zaczęliśmy wyżymać swoje przepocone ciuchy.

Potem mieliśmy wszyscy związać sobie nadgarstki
chustami i pokonać tor przeszkód utworzony z lin.
A w ćwiczeniach fizycznych nasz zespół wypadał
naprawdę fatalnie.

Po tej akcji z linami nie mogliśmy rozplątać supłów.
I zaraz pojawił się PROBLEM, bo Timothy Ames
musiał do łazienki.

Pod koniec dnia wszyscy byliśmy wykończeni
i naprawdę poczułem radość, kiedy pan Jefferson
powiedział, że czas na obiadokolację.

Tym razem podali nam hamburgery z kurczaka,
gotowane kolby kukurydzy i gulasz. Odpuściłem sobie
to ostatnie i byłem z tej decyzji bardzo zadowolony,
gdy zobaczyłem, jak Jordan natrafia na cały placek
kukurydziany. Kto wie, z KTÓREGO roku.

Po obiadokolacji wróciliśmy do chaty. Pan Jefferson oznajmił, że skoro chodziliśmy po lesie, każdy powinien sprawdzić, czy jego koledze z pryczy nie przyczepił się kleszcz. No a moim kolegą z pryczy był nie kto inny jak właśnie tata Rowleya.

Tylko że on ma mnóstwo włosów, a ja nie zamierzałem w nich gmerać. Więc równie dobrze mogła się tam osiedlić cała KOLONIA kleszczy.

Każdy się mądrzy, jak to fajnie jest na łonie natury, a TYLE tam przecież robali, na które trzeba uważać.

Kiedyś NA OKRĄGŁO bawiłem się w lasku. Dopóki nie połknąłem żywego pająka.

Ale w miejscu takim jak Głodowe Gospodarstwo tyle samo robali jest NA ZEWNĄTRZ i WEWNĄTRZ. Podczas obiadokolacji jakiś żuk zabunkrował się w uchu jednego dzieciaka i chłopak musiał lecieć do pielęgniarki, żeby mu go wyjęła.

Jordan znalazł kleszcza na szyi Juliana i wszyscy zaczęliśmy świrować ze strachu. Wtedy pan Jefferson powiedział, że to nic takiego, i zabrał Juliana do pielęgniarki.

Gdy tylko zamknęły się za nimi drzwi, reszta dostała MAŁPIEGO rozumu.

Ja trzymałem się na dystans, bo nie chciałem zostać piątą osobą z mojego zespołu, która będzie tego dnia potrzebowała pielęgniarki.

Kiedy pan Jefferson wrócił, chata była w opłakanym stanie. A chłopaki wyglądały jak NIEBOSKIE stworzenia.

Chyba nikt nigdy nie mył podłogi w tym miejscu, bo od tarzania się po niej wszyscy strasznie się usmarowali.

Za karę pan Jefferson kazał nam iść spać WCZEŚNIEJ. Mnie też, chociaż NIC nie zrobiłem. I tym sposobem trafiliśmy do łóżek, gdy na dworze było jeszcze jasno.

Wtorek
Pan Jefferson obudził nas bladym świtem i powiedział, że przed śniadaniem musimy wziąć prysznic.

Dopiero wtedy załapałem, że w naszej łazience nie ma kabiny prysznicowej. Była NA DWORZE, a wodę brało się z miednicy, którą wczoraj próbowaliśmy napełnić.

Chyba tylko ja pamiętałem, CZYM napełniliśmy miednicę, bo wszyscy inni ochoczo ustawili się do niej w kolejce.

A ta woda nie tylko była NIEHIGIENICZNA, lecz także LODOWATA.

Ja jednak byłem PRZYGOTOWANY. Choć absolutnie nie zamierzałem brać żadnych pryszniców na dworze, miałem swój sposób, by zachować CZYSTOŚĆ.

Śniadanie okazało się niewiele lepsze od dwóch poprzednich posiłków, ale przynajmniej nie serwowali GULASZU. Chociaż naleśniki przypominały SKAŁĘ i nie należało próbować ich gryźć, bo można było połamać sobie zęby.

Emilio ukradkiem schował jeden naleśnik do kieszeni. Powiedział, że wyśle go w liście mamie, żeby zobaczyła, jak źle nas tu karmią.

Kiedy posprzątaliśmy po śniadaniu, pani Graziano przedstawiła plan dnia.

Oświadczyła, że będziemy wykonywać te same obowiązki, jakie przed wiekami miały dzieci w gospodarstwach wiejskich.

Pani Graziano dodała, że kiedyś dzieciaki pracowały od wschodu do zachodu słońca. Gdy tylko urosły na tyle, by móc pomagać swoim rodzinom, zaraz zaganiano je do roboty.

KOLEJNY powód, by się cieszyć, że nie żyję w dawnych czasach.

Mój zespół posłano do stodoły. Mieliśmy przenieść bele siana z jednego jej końca na drugi. To była STRASZLIWA harówa. Naprawdę szacun dla dzieci, które na co dzień się tym zajmowały.

Kiedy SKOŃCZYLIŚMY, rozpierała nas duma.

Idąc do następnej roboty, wpadliśmy na chłopaków
od pana Nuzziego. Ich wychowawca powiedział,
że mają przenieść bele siana z jednego końca stodoły
na drugi. Czyli zatachać je tam, gdzie MY je zastaliśmy.
Więc nie pytajcie mnie, po co to wszystko było.

Widzicie, TEGO się dzieciom nie robi. Kiedy
chodziłem do pierwszej klasy, pewnego dnia
nauczycielka wysłała mnie z „tajną misją".
Miałem doręczyć list innej nauczycielce po drugiej
stronie holu.

ŚCIŚLE
TAJNE

Każdego następnego dnia dostawałem NOWY list
do zaniesienia.

No i któregoś dnia nie wytrzymałem. Z ciekawości,
co może być W ŚRODKU, otworzyłem wiadomość.
Ale kartka okazała się PUSTA.

Wyszło na jaw, że mama, martwiąc się moją
„samooceną", powiedziała o tym nauczycielce,
a w całej aferze z tajną misją chodziło o to, żebym
poczuł się POTRZEBNY. Cóż, jeśli ktoś chciałby
wiedzieć, skąd wziął się mój sceptyczny stosunek
do pracy, niech teraz doda dwa do dwóch.

Przez resztę poranka mój zespół wykonywał kolejne
zadania. Pomalowaliśmy płot, naprawiliśmy kamienny
murek i ułożyliśmy drewno na opał przed stołówką.

Coś wam powiem. Kiedy będę dorosły, kupię sobie WŁASNE gospodarstwo i założę w nim obóz dla młodzieży. Bo ten, kto ściąga dzieciaki, żeby pracowały za darmo, i nazywa to edukacją, jest GENIUSZEM.

Po lunchu, gdy wracaliśmy do naszej chaty, Gareth potknął się o kamień wystający z ziemi.

Gdy zobaczył to Emilio, bardzo się zdenerwował.

Kamień był porysowany i Emilio powiedział, że jedyną osobą, która mogła tak go PODRAPAĆ, jest Szczepan Skrobacz.

Jeffrey stwierdził, że ten kamień to prawdopodobnie
NAGROBEK Szczepana Skrobacza i że teraz jesteśmy
PRZEKLĘCI, bo naruszyliśmy spokój nieboszczyka.

Próbowałem przemówić im do rozsądku.
Oświadczyłem, że, po pierwsze, jeśli Szczepan
Skrobacz nie żyje, to jest to dla wszystkich dobra
wiadomość. A po drugie, to NIE MOŻE być jego
nagrobek, bo przecież Skrobacz musiałby się
SAM pochować.

Żałuję teraz, że nie ugryzłem się w język, ponieważ
wtedy wszyscy spanikowali jeszcze BARDZIEJ.
Nagle Szczepan Skrobacz stał się NIEUMARŁYM
farmerem, którego nie można zabić.

Podczas obiadokolacji mówiło się już tylko o grobie Szczepana Skrobacza.

Ktoś utrzymywał, że zobaczył Skrobacza w lesie. A ktoś INNY, że w tym samym czasie widział go po drugiej stronie obozu.

Aż nagle Albert Sandy obwieścił, że SŁYSZAŁ o sieci tuneli, które Skrobacz wyskrobał pod chatami, i że to dzięki nim farmer może tak szybko się przemieszczać.

No i teraz przez Alberta Sandy'ego ludzie boją się korzystać z kibelka.

Paru chłopaków stwierdziło, że jakoś DOTRZYMAJĄ do powrotu do domu. Na MÓJ gust to było dość głupie, zwłaszcza że jeszcze nie minął DRUGI dzień obozu.

Środa

Dziś, po ukończeniu obowiązków w gospodarstwie, dostaliśmy trochę wolnego czasu i każdy mógł robić, co chciał. Ja postanowiłem się zdrzemnąć, lecz paru moich kolegów miało inne plany.

Gareth, Jeffrey i Jordan powiedzieli, że ULEWA IM SIĘ od gulaszu, więc pójdą nad rzekę i złowią RYBĘ.

Uznałem to za najgłupszy pomysł wszech czasów.
ZWŁASZCZA że nie mieli wędki ani niczego takiego.

No ale oni mówili śmiertelnie poważnie. Poszli, a ja
wdrapałem się na swoją pryczę.

Długo nie mogłem zasnąć i kiedy wreszcie mi się udało,
chłopaki wpadły z rumorem do chaty.

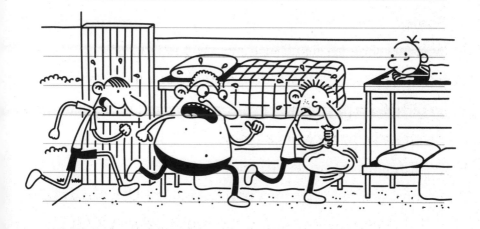

Wierzcie lub nie, ale tym kretynom jakoś udało się złapać rybę. Użyli koszulki Jeffreya zamiast SIECI.

A teraz, gdy mieli już rybę, zupełnie nie wiedzieli, co DALEJ. Jedno było jasne. Żaden z nich nie zamierzał jej ZJEŚĆ.

Powiedziałem, że jeśli szybko nie znajdą jakiejś wody, ten zwierzak NIE PRZEŻYJE.

Wtedy Gareth podniósł rybę za ogon i poleciał z nią do łazienki, gdzie wsadził ją do SEDESU. A Jordan dolał tam wody ze swojej manierki.

Ryba na razie wyglądała na zadowoloną, więc postanowiłem pójść po wiadro, żebyśmy mogli odnieść ją do rzeki i wypuścić.

Ale kiedy już chciałem to ZROBIĆ, do chaty wszedł pan Jefferson. Podczas gdy inne chłopaki szybko zamknęły się w łazience, ja starałem się zachować spokój.

Zgadywałem, że pan Jefferson nie będzie zadowolony z powodu ryby w kibelku, a nie chciałem drugi raz z rzędu iść spać z kurami.

Pan Jefferson zapytał, gdzie podziała się RESZTA, na co ja odparłem, że chłopaki chyba są nad rzeką. Powiedział, żebym im przekazał, jak tylko się pokażą, że przyszła poczta i mają przyjść do stołówki.

Kiedy tata Rowleya wyszedł, opuściliśmy deskę klozetową, żeby ryba nie wyskoczyła na podłogę, i pobiegliśmy do stołówki, gdzie byli już pozostali.

Pani Graziano rozdawała pocztę dzieciakom, do których napisali rodzice. Mama przysłała mi list i muszę przyznać, że czytając go, trochę się wzruszyłem.

> *Drogi Gregory,*
> *bardzo za Tobą tęsknimy!*
> *Nie możemy się doczekać*
> *Twojego powrotu. Mamy*
> *nadzieję, że cudownie się*
> *bawisz!*
>
> *Uściski + całuski!*
>
> *Mama*

Rodrick też do mnie napisał, ale JEGO list spodobał mi się znacznie mniej.

> Drogi Gregu,
> znalazłem batoniki.
> Masz, powąchaj
> sobie sreberka.
> He, he, he.

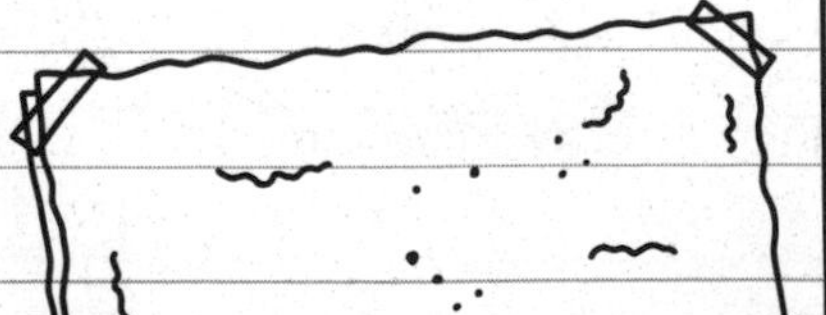

Listu od taty nie było, natomiast otrzymałem wiadomość od ŚWINI. Bardzo chcę wierzyć, że ktoś z domowników po prostu sobie zażartował, bo jeśli ten stwór nauczył się pisać, to ja już nie mam słów.

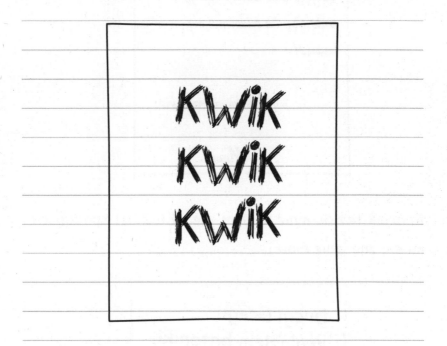

Julian też dostał list z domu. Ale jego mama popełniła OGROMNY błąd, załączając zdjęcie.

Nie tylko ON tęsknił za rodzicami. Dzieciaki,
które nic nie dostały, poprosiły szczęśliwców z listami,
żeby czytali NA GŁOS.

Niektórzy uczniowie dostali paczki z ciuchami
na zmianę i innymi takimi.

Jednak prawdziwym gościem w naszym zespole
okazał się Graham Bertran, do którego przyszła
OLBRZYMIA paka.

Po powrocie do chaty dowiedzieliśmy się, że Graham SAM wysłał ją do siebie przed wyjazdem. Ukrył w niej MNÓSTWO łakoci poutykanych w różnych kempingowych rzeczach.

Na szczęście chciał się z nami PODZIELIĆ. Nigdy nie sądziłem, że będę jadł nachosy z buta górskiego, ale na godność własną i tak już wcześniej machnąłem ręką.

Nagle Emilio wyjrzał przez okno i zobaczył wychowawcę wracającego do chaty. No więc schowaliśmy całe żarcie Grahama pod kocem.

Kiedy pan Jefferson wszedł do środka, ruszył prosto do toalety i nic nie zauważył.

Niestety byliśmy tak zajęci wyżerką, że zupełnie zapomnieliśmy o RYBIE.

Trochę zrobiło mi się żal pana Jeffersona, ale to tylko potwierdza jedno. ZAWSZE należy zajrzeć do kibelka, zanim się na nim usiądzie.

Pan Jefferson wpadł w furię. Sądził, że zrobiliśmy mu kawał.

No i oczywiście uznał, że to moja sprawka.

Dlatego dziś wieczorem, gdy reszta śpiewa z panią
Graziano, piekąc nad ogniskiem herbatniki nadziewane
słodkimi piankami i gorzką czekoladą, ja kibluję
w chacie ze wściekłym opiekunem.

Czwartek

Większość obozowiczów jakoś trzymała się do
wczoraj, ale od czasu listów wszyscy są
w OPŁAKANYM stanie.

Wielu moich kolegów tęskni za domem i pyta, czy
mogliby wrócić wcześniej. Na co wychowawcy
odpowiadają, że wcześniejszy powrót jest możliwy
jedynie z powodów MEDYCZNYCH.

Cóż, nie powinni byli o tym napomykać, bo teraz dzieciaki PRÓBUJĄ się rozchorować.

Melinda Henson wyglądała naprawdę dziwnie podczas lunchu. Przyciśnięta, przyznała, że zjadła trzy talerze gulaszu, aby dostać mdłości, co wydało mi się nieco EKSTREMALNE.

Ale po paru godzinach u pielęgniarki, gdy przeszedł jej rozstrój żołądka, Melinda została odesłana z powrotem do koleżanek.

Julian posunął się DALEJ. Gdy pan Jefferson znalazł go w chacie, trzymał się za brzuch obok nadjedzonego dezodorantu w sztyfcie.

No i to był koniec obozu dla Juliana.

Parę godzin później przyjechała po niego mama.
A kiedy Julian machał nam na do widzenia, chyba czuł
się już zupełnie dobrze.

Wielu chłopaków zaczęło gadać, że koleś miał niezły
pomysł, i wychowawcy zrobili się czujni.

Nim się spostrzegliśmy, zarekwirowali nam wszystkie dezodoranty, żeby nikt nie powtórzył wyczynu Juliana.

To zła wiadomość dla NASZEGO domku, bo przez mokre ręczniki, brudne ciuchy i ludzi biorących prysznic w przepoconej wodzie i tak JUŻ cuchnie tu jak w małpiarni.

Dezodoranty prawdopodobnie były jedyną rzeczą, która nie pozwalała oparom w naszym pokoju osiągnąć poziomu toksyczności.

A jeśli zachorujemy, odeślą nas WSZYSTKICH do domu.

INNYM może to PASOWAĆ, ale nie MNIE. Bo gdy tylko przekroczę próg, będę musiał stanąć oko w oko z TATĄ.

Sobota

Szczerze mówiąc, Rowley całkiem wyleciał mi z głowy. Aż tu nagle wczoraj rano zjawił się w obozie.

Choć kiedy poczuł, jak śmierdzi nasz domek, chyba pożałował, że wrócił.

Okazało się, że dostał infekcji od zęba Garetha
i dlatego nie było go tyle czasu. Na dodatek przywiózł
ten ząb ZE SOBĄ, chociaż nie jestem pewien,
co Gareth miałby z nim teraz zrobić.

Tak w ogóle to Rowley przyjechał w dziwnym
momencie. Wszyscy szykowaliśmy się do ostatniej
nocy w obozie, którą mieliśmy spędzić POD GOŁYM
NIEBEM.

Nawet się na to cieszę, bo to będzie nasza JEDYNA
noc poza smrodliwą chatą.

Ale nie jestem pewien, czy mój zespół zdoła
PRZETRWAĆ nocowanie na dworze.

Będziemy musieli zbudować sobie szałas i rozpalić
ognisko, a nie mam POJĘCIA, jak sobie z TYM
poradzimy.

Pan Jefferson próbował nauczyć nas podstawowych umiejętności niezbędnych do przeżycia w dziczy, lecz wyszło na to, że jest taką samą NIEDORAJDĄ jak reszta.

Wczoraj usiłował nam pokazać, jak rozpalić ognisko, i złamał zasadę dotyczącą gadżetów, szukając wskazówek w internecie. W dodatku zaraz padła mu bateria, gdy paru moich kolegów dorwało się do smartfona, żeby pooglądać filmiki z wrzeszczącymi kozami.

Pan Jefferson chyba TROCHĘ zdążył doczytać, nim bateria się rozładowała, bo zdołał rozpalić ogień i kazał nam przynieść coś na podpałkę. Nikt nie wiedział, CZYM jest ta podpałka, więc przytargaliśmy wszystko, co naszym zdaniem było łatwopalne.

Rowley wrócił z naręczem jakichś CHWASTÓW,
ale kiedy rzucił je na płomień, zupełnie go przydusił.

No a potem doszliśmy, że to, co cisnął do ognia, to był
SUMAK JADOWITY. Dlatego dziś rano Rowley
obudził się cały w bąblach. Pan Jefferson natomiast
nawdychał się chyba trującego dymu, bo ma kłopoty
z oddychaniem.

Pielęgniarka kazała przyjść im obu i myślę,
że NIEPRĘDKO ich znów zobaczymy.

To oznacza, że mój zespół jako jedyny został bez
wychowawcy. Podobno pani Graziano dwoi się i troi,
by znaleźć zastępstwo, ale żaden z ojców nie ma
ochoty poświęcić dla nas reszty weekendu.

Źle się złożyło, bo jutro wieczorem będzie podobno
PADAĆ, a my nawet nie zaczęliśmy budować szałasu.
Poszedłem na przeszpiegi do zespołu, w którym jest
wielu harcerzy, żeby podejrzeć ich technologię. Oni
jednak nie byli skłonni podzielić się swoimi sekretami.

Kiedy my dalej męczyliśmy się z obozowiskiem,
jakiś inny zespół zrobił nalot na naszą chatę.
Chyba rozeszły się wieści o przekąskach Grahama,
bo jego zapasy zostały wyjedzone do czysta.

Złodzieje dostali się też do MOJEGO worka i znaleźli
nawilżane chusteczki, których potem użyli w toalecie.
Chyba próbowali spuścić je w kibelku, bo teraz jest
ZAPCHANY.

Najgorsze było to, że toaleta wybiła, a woda popłynęła
aż do worka.

Wszystkie rzeczy mi zamokły, poza książką dziadka,
którą rabusie rzucili na pryczę.

Byłem naprawdę WŚCIEKŁY. Ale gdy zacząłem przerzucać strony, odkryłem, że ci goście wyświadczyli nam WIELKĄ przysługę.

Najpierw przeczytałem mnóstwo nieprzydatnych nonsensów, na przykład rozdział o tym, jak zrobić z niczego działające radio.

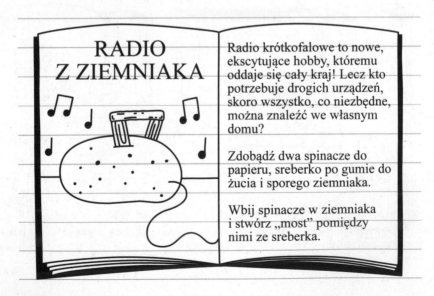

RADIO Z ZIEMNIAKA

Radio krótkofalowe to nowe, ekscytujące hobby, któremu oddaje się cały kraj! Lecz kto potrzebuje drogich urządzeń, skoro wszystko, co niezbędne, można znaleźć we własnym domu?

Zdobądź dwa spinacze do papieru, sreberko po gumie do żucia i sporego ziemniaka.

Wbij spinacze w ziemniaka i stwórz „most" pomiędzy nimi ze sreberka.

Ale znalazłem tam też dużo FAJNYCH rzeczy.
Na przykład rozdział o tym, jak rozpoznać sumak
jadowity, co wczoraj byłoby jak znalazł. Albo
rozdziały o INNYCH umiejętnościach związanych
z życiem w dziczy, jak rozpalanie ogniska bez zapałek.
A to byłoby super, bo pan Jefferson wszystkie nam
zmarnował.

Nie mogłem się doczekać wypróbowania niektórych
trików i sprawdzenia, czy DZIAŁAJĄ. Zabrałem swój
zespół do obozowiska, poprosiłem Emilia o okulary
i przez soczewkę skupiłem promienie słoneczne
na suchym liściu, jak było napisane w książce.
No i rzeczywiście: liść zaczął się tlić, a potem zapłonął.

Wszyscy strasznie się ucieszyli, że rozpalimy ognisko
bez pomocy dorosłych, ale chyba trochę nas poniosło,
kiedy przybijaliśmy sobie piątkę, bo okulary Emilia
do niczego się już nie nadają.

Wygląda na to, że Emilio bez okularów jest ślepy
jak nietoperz, więc reszta obozu może być dla niego
wyzwaniem.

Na szczęście Jeffrey też jest okularnikiem, co jutro załatwi nam sprawę ogniska.

Po obiadokolacji poszliśmy do chaty, gdzie czekał nas niemiły powrót do rzeczywistości. Przez zapchaną toaletę smród w naszym pokoju stał się NIE DO ZNIESIENIA.

Wytarliśmy podłogę brudnymi ubraniami, a potem wsadziliśmy je do worków na śmieci. Ale to NIE przyniosło spodziewanego skutku.

NAJBARDZIEJ cuchnęliśmy my sami. A z TYM mógł coś zrobić tylko dezodorant.

Jordan powiedział, że może powinniśmy zakraść się do jednej z chat dziewczyn i buchnąć IM dezodorant. A wtedy rozpętała się burzliwa dyskusja na temat tego, czy dziewczyny W OGÓLE używają dezodorantu.

Tak czy inaczej, każdy miał ochotę na ten DESANT.

NAJBARDZIEJ podekscytowany był Emilio. Wytłumaczyliśmy mu, że to dla niego zbyt niebezpieczne, zważywszy że NIC nie widzi.

Na co on odparł, że go POTRZEBUJEMY, ponieważ ma doskonały węch i może wyniuchać dezodorant w domku dziewczyn. Nie wiedzieliśmy, czy aby nie blefuje, więc poddaliśmy go próbie, podczas której musiał zidentyfikować różne rzeczy. No i faktycznie, spisał się na medal.

W ten sposób Emilio załapał się na akcję. Zaczęliśmy
zbierać się do wyjścia i właśnie wtedy w drzwiach
stanął pan Nuzzi. Chciał sprawdzić, co robimy.

Chyba od razu zauważył, że coś knujemy, bo powiedział,
że będziemy mieć PRZECHLAPANE, jeśli złapie
któregoś z nas poza chatą. Dodał, że podobno tego
wieczoru Szczepan Skrobacz grasuje w okolicy,
więc lepiej, żebyśmy nic nie kombinowali.

Pan Nuzzi wyszedł, ale parę minut później wrócił
z talkiem dla niemowląt.

Rozsypał go szerokim kręgiem wokół domku, żeby w razie CZEGO wydały nas ślady stóp.

Wszyscy spanikowaliśmy, bo wyglądało na to, że zostaliśmy uwięzieni w chacie aż do rana. I wtedy przypomniał mi się rozdział z KSIĄŻKI, który mógł okazać się pomocny.

ZMYL WROGA

Dawni wojownicy ninja mieli sprytny sposób, by wprowadzić w błąd przeciwnika.

Wędrując w grupie, szli gęsiego, podążając po własnych śladach.

Dzięki temu mogli zaskoczyć swoich prześladowców, którzy ze zdumieniem odkrywali, że nie śledzili JEDNEJ osoby, lecz cały oddział!

Pan Nuzzi TEŻ zostawił odciski stóp na talku, kiedy go rozsypywał. Wystarczyło tylko iść po jego śladach, by nie dowiedział się o naszej ucieczce.

Jedyny problem polegał na tym, że pan Nuzzi ma o wiele większe stopy niż którykolwiek z nas. Na szczęście pan Jefferson zostawił swoje buty górskie pod łóżkiem, a one pasowały do śladów jak ulał.

Ruszyłem pierwszy. Trochę trudno było trzymać się odcisków, ale jakoś zdołałem pokonać strefę talku.

Potem rzuciłem buty KOLEJNEMU chłopakowi.

Tym sposobem wszyscy opuściliśmy chatę. Nawet Emilio, którego Jeffrey przeniósł na barana.

Kiedy droga była już wolna, weszliśmy do lasu, zmierzając w stronę obozu dziewczyn. Lecz nim zdążyliśmy policzyć do trzech, zabłądziliśmy.

Co napędziło nam stracha, bo żaden z chłopaków nie wiedział nawet, jak wrócić do NASZEJ chaty.

A wtedy Jeffrey TOTALNIE skopał sprawę,
wywlekając temat Szczepana Skrobacza. Powiedział,
że Skrobacz zapewne śledzi każdy nasz ruch, wyłapie
nas jednego po drugim i pożre żywcem.

W szeregach zapanowało okropne wzburzenie.
Wyglądało na to, że zaraz z przerażenia rozbiegniemy
się na wszystkie strony.

Ale Emilio uratował sytuację, gdyż coś zwietrzył.

Oświadczył, że wyczuwa domek dziewczyn i że to już
niedaleko.

Faktycznie, jeden z domków znajdował się
w odległości niecałych piętnastu metrów. Podkradliśmy
cię najciszej, jak potrafiliśmy, a potem
skorzystaliśmy z naszych umiejętności zespołowych,
żeby wdrapać się na otwarte okno.

Dźwięki dobiegające ze środka świadczyły o tym,
że dziewczyny śpią. No więc bezszelestnie zsunąłem
się do pokoju.

A kiedy rozejrzałem się wokół, odkryłem, że jestem u HARCEREK.

Postanowiłem na tym zakończyć naszą misję specjalną, lecz było już za późno.

Wszystko POTEM pamiętam jak przez mgłę.
Dziewczyny wrzeszczały, jakieś ręce łapały mnie
za kostki, a chłopaki tratowały jeden drugiego,
żeby dopchać się do drzwi.

Później był już tylko galop przez las na złamanie
karku.

Nie pytajcie, JAK, ale znaleźliśmy drogę powrotną.
Niestety zapomnieliśmy o talku i totalnie go
zadeptaliśmy. Lecz to był naprawdę NAJMNIEJSZY
z naszych problemów.

Sądziłem, że wyprawa zakończyła się wielką porażką,
gdy nagle odkryłem, że wcale nie wróciliśmy z pustymi
rękami. Graham rąbnął jakąś torbę z chaty dziewczyn
i przytargał ze sobą.

202

Nie czułem się dobrze ze świadomością, że ją UKRADLIŚMY. Więc powiedziałem, że któryś z nas musi niepostrzeżenie podłożyć torbę z powrotem, zanim dziewczyny się zorientują.

No ale zostałem przegłosowany, bo cała reszta umierała z ciekawości, co też może być w środku.

Ciuchy, które znaleźliśmy, nie wyglądały, jakby nosiła je dziewczyna w NASZYM wieku.

Zanim do nas dotarło, do KOGO właściwie należy torba, jej właścicielka stanęła w progu.

Myślałem, że wpadliśmy przez zasypkę dla niemowląt, ale to było JESZCZE prostsze. Gdy tylko pani Graziano wyleciała za nami na dwór, znalazła Emilia idącego po omacku w ciemności. Co dowodzi, że nigdy nie należy rozluźniać szeregów.

Wychowawczyni zrównała nas z ziemią za „niedojrzałe wyskoki". Powiedziała, że nie może nam ufać, więc zaraz wykona telefon i w trybie pilnym znajdzie jakiegoś wychowawcę.

Nie umiałem sobie wyobrazić, kto chciałby się tutaj tłuc w środku nocy, ale wiedziałem jedno. KTOKOLWIEK to zrobi, nie będzie ZADOWOLONY.

I okazało się, że miałem rację.

Niedziela

Naprawdę wolałbym, żeby pani Graziano wykopała
mnie do DOMU, zamiast ściągać tu na ostatni dzień
tatę. On i tak był już WŚCIEKŁY o SAMOCHÓD,
a teraz jeszcze musiał niańczyć bandę nieświeżych
gimnazjalistów.

Sytuacji nie poprawiło przekazanie mu wiadomości
o zapchanym kibelku.

Czułem, że jestem tacie winien przynajmniej krótkie
wprowadzenie w obozowe życie, on jednak wydawał się
świetnie zorientowany. W jakiś tajemniczy sposób
wiedział nawet o GULASZU, bo gdy dostał swoją
porcję brei, natychmiast wylał ją z powrotem
do gara.

206

Najpierw pomyślałem, że musiał być wychowawcą
za czasów RODRICKA, ale kiedy zobaczyłem, jak wita
się z nim inny opiekun, nagle załapałem.

Tata po raz pierwszy przyjechał na farmę, gdy był
w MOIM wieku.

Nic DZIWNEGO, że nie skakał teraz ze szczęścia.
Jeśli jego doświadczenia były choć trochę podobne
do MOICH, to z pewnością przysięgał, że jego stopa
WIĘCEJ tu nie postanie.

Ja i chłopaki przez cały dzień próbowaliśmy uporać się
z szałasem. I było zupełnie jasne, że tata nie zamierza
nam pomóc.

Przez połowę czasu robił gdzieś nie wiadomo co.
A kiedy BYŁ w pobliżu, nie raczył kiwnąć nawet
palcem.

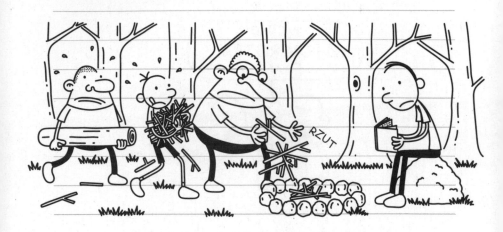

No więc sami zbudowaliśmy szałas. Na szczęście
w książce dziadka był rozdział o schronieniach przed
deszczem i OBESZŁO SIĘ bez pomocy taty.

Podczas obiadokolacji ludzie z innego zespołu byli okropnie wystraszeni. Powiedzieli, że zbierając drewno na ognisko, odkryli starą chałupę, która niemal na sto procent należy do Szczepana Skrobacza.

W tamtym momencie miałem nadzieję, że tata powie wszystkim, jak jest naprawdę. Że Szczepan Skrobacz to tylko wyssana z palca historyjka, wymyślona po to, aby uczniowie nie kręcili się nocą po lesie. Ale on zrobił coś INNEGO.

Oświadczył, że gdy SAM przyjechał na obóz do Głodowego Gospodarstwa, jakieś chłopaki myszkowały w pobliżu chaty Szczepana Skrobacza i WIĘCEJ ich nie widziano.

To było NAJGORSZE, co mógł powiedzieć, zważywszy
że mieliśmy przed sobą noc w lesie.

Po obiadokolacji pani Graziano obwieściła, że mamy
zabrać potrzebne rzeczy z domków i przenieść je
do obozowisk.

Sporo dzieciaków BŁAGAŁO, by pozwolono im zostać
w chatach, lecz ona odparła, że tak zawsze wyglądała
ostatnia noc w Głodowym Gospodarstwie i tak zawsze
będzie wyglądać.

Rozpaliliśmy ognisko wcześniej, ale kiedy przyszliśmy
na miejsce, ogień przygasał i musieliśmy coś do niego
dorzucić. Było już PO ZMIERZCHU, a moi kumple
mieli takiego cykora, że nikt nie chciał pójść ze mną
po chrust.

Myślałem, że może TATA da się namówić, lecz on
znowu gdzieś PRZEPADŁ.

Byłem zatem zdany wyłącznie na siebie. Teren wokół
obozowiska już wcześniej wyczyściliśmy z gałązek,
więc zagłębiłem się w las. Ale po chwili kompletnie
straciłem orientację i nie wiedziałem, skąd
przyszedłem.

Trochę się zdenerwowałem, lecz wtedy zobaczyłem światło, które wziąłem za nasze ognisko.

Poszedłem w jego kierunku, a gdy znalazłem się bliżej, nie mogłem uwierzyć własnym oczom.

Muszę przyznać, że choć dotąd nie kupowałem opowieści o Szczepanie Skrobaczu, w tamtej chwili prawie dostałem ZAWAŁU.

Coś w związku z tym światłem dało mi jednak do myślenia. Z początku sądziłem, że patrzę na ogień z kominka, lecz zaraz odkryłem, że to pali się ŻARÓWKA. Co było trochę bez sensu. No bo jak obłąkany farmer jedzący ślimaki i jagody mógłby mieć ELEKTRYCZNOŚĆ?

Wejście od frontu było zabite deskami. A gdy obszedłem ruderę dookoła, zobaczyłem przymknięte metalowe drzwi.

Wstrzymując oddech, pchnąłem je i przestąpiłem próg. Serce prawie wyskakiwało mi z piersi, ale MUSIAŁEM się dowiedzieć, co jest w środku.

Gdy tylko się rozejrzałem, było już dla mnie jasne, że to nie ŻADNA chata, tylko coś w rodzaju szopy. Zobaczyłem dużo narzędzi, które nie wyglądały jakoś szczególnie STARO.

Zrobiłem parę kroków naprzód. A idąc przez
korytarz, odkryłem coś, co NAPRAWDĘ mnie
zszokowało.

To była ŁAZIENKA. Z sedesem, umywalką
i WSZYSTKIM. Wypatrzyłem nawet zapas papieru
toaletowego, tego NAJLEPSZEJ jakości.

Z wrażenia kręciło mi się w głowie. Już chciałem
pobiec do obozowiska i opowiedzieć wszystkim,
co widziałem, gdy rozległ się dźwięk, od którego
dreszcz przeszedł mi po kręgosłupie.

Ktoś GWIZDAŁ. Dosłownie TUŻ za mną.

Odwróciłem się, żeby dać drapaka, i wtedy wpadłem
na TATĘ.

Całkiem zaniemówiłem. Nie mogłem zrozumieć,
dlaczego tata bierze prysznic w szopie na narzędzia,
lecz wtedy on wyznał mi całą prawdę.

Powiedział, że w JEGO czasach sytuacja sanitarna
na farmie była jeszcze GORSZA niż teraz.

Wszyscy dzielili tylko jeden wychodek.

Nie było prysznica, więc żeby się umyć, ludzie latali z mydłem do rzeki.

Aż pewnego dnia, podczas zbierania chrustu, tata znalazł szopę na narzędzia, w której składowano różne graty po zakończeniu sezonu.

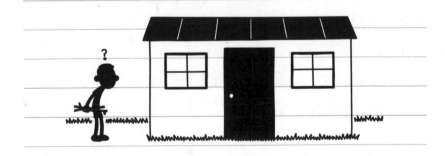

Gdy odkrył, że w środku jest łazienka, zrozumiał, że MUSI zachować to w tajemnicy.

Wymyślił zatem historię o Szczepanie Skrobaczu, żeby inne dzieciaki trzymały się od szopy z daleka.

A kiedy wczoraj przyjechał do gospodarstwa, nie mógł uwierzyć, że po tylu latach legenda nadal istnieje. Postanowił jednak nie wyprowadzać nas z błędu, bo dzięki temu znów miał prywatną łazienkę.

Strasznie byłem zły, bo okropnie wszystkich nastraszył. Ale muszę przyznać, że wymyślenie zwariowanej historyjki, by zachować tajną toaletę, to coś w MOIM stylu.

Wtedy zdałem sobie sprawę, jak późno się zrobiło. Reszta mogła pomyśleć, że wpadłem w łapy Szczepana Skrobacza.

Poprosiłem więc tatę, żeby mnie odprowadził.

Tymczasem zaczęło padać, a gdy dotarliśmy
na miejsce, ognisko było już PRZESZŁOŚCIĄ.
Chłopaki z desperacji najwyraźniej wrzucały do ognia,
co popadło, bo w popiele znalazłem swoją KSIĄŻKĘ.
Czy raczej to, co z niej zostało.

Moi kumple rozebrali też szałas, żeby mieć czym
podtrzymać ogień, i z zimna zbili się w kupkę jak
chomiki.

Naprawdę nie miałem ochoty moknąć przez całą noc.
Tata na szczęście PODZIELAŁ moje zdanie.

Najwyraźniej nie bardzo przejmował się regulaminem,
bo przemycił nas wszystkich z powrotem do chaty.
Może i cuchnęło tam skunksem, ale coś wam powiem.
W życiu lepiej nie spałem.

Poniedziałek
Rano spakowaliśmy klamoty i zanieśliśmy je
na parking.

Prawie wszyscy ludzie z naszego rocznika byli
w STRASZNYM stanie po nocy spędzonej w lesie.
Tylko MY wyglądaliśmy na WYPOCZĘTYCH.

Chłopaki wciąż powtarzały, jakie mamy SZCZĘŚCIE, bo przecież przetrwaliśmy cały tydzień, choć Szczepan Skrobacz czatował gdzieś w pobliżu. A ja mogłem tylko raz po raz gryźć się w język.

Wierzcie mi, okropnie mnie korciło. Bardzo chciałem im powiedzieć, że Szczepan Skrobacz to ściema. Pewnie zostałbym wtedy BOHATEREM, który zakończył koszmar.

Ale doszedłem do wniosku, że jeśli sam kiedyś trafię na obóz jako wychowawca, PRZYDA MI SIĘ tajna łazienka.

Już chciałem wrzucić worek do autokaru, gdy tata
powiedział, że mogę wracać z NIM. To było o NIEBO
lepsze niż siedzieć komuś na kolanach, dlatego
skorzystałem z jego propozycji.

Opuszczając teren gospodarstwa, zobaczyłem
nadjeżdżający autokar pełen nowych dzieciaków.
Szybko nabazgrałem więc ostrzeżenie przed tym,
co tu na nie czyhało. Przynajmniej TYLE mogłem zrobić.

STRZEŻCIE SIĘ
SZCZEPANA SKROBACZA!

PODZIĘKOWANIA

Dziękuję swojej cudownej rodzinie za wsparcie i tyle radości.

Dziękuję Charliemu Kochmanowi za ogromny upór, z jakim pilnuje tego, by każda książka o cwaniaczku była wyjątkowa. Wyrazy wdzięczności niech przyjmą również pracownicy wydawnictwa Abrams, czyli między innymi Michael Jacobs, Jason Wells, Veronica Wasserman, Susan Van Metre, Jen Graham, KeriLee Horan, Chad W. Beckerman, Alison Gervais, Elisa Garcia, Erica La Sala oraz Kim Ku.

Dziękuję Shaelyn Germain i Annie Cesary. To dzięki ich zaangażowaniu udało mi się tak wiele osiągnąć. Jestem też wdzięczny Deb Sundin i ludziom z An Unlikely Story za stworzenie świetnej niezależnej księgarni.

Dziękuję Richowi Carrowi oraz Andrei Lucey za to, że stali za mną przez te wszystkie lata, a Paulowi Sennottowi i Ike'owi Williamsowi za bezcenne rady.

Dziękuję Jessowi Brallierowi za to, że jest moim przyjacielem i mentorem od piętnastu lat. A także osobom z serwisu Poptropica za wiarę we mnie oraz inspirację.

Dziękuję Sylvie Rabineau za przyjaźń i wskazówki. Keithowi Fleerowi za pomoc. A na koniec pragnę podziękować osobom z Hollywood, które przenoszą nowe opowieści o Gregu Heffleyu na ekran. W szczególności zaś Ninie Jacobson, Bradowi Simpsonowi, Elizabeth Gabler, Rolandowi Poindexterowi, Ralphowi Millero oraz Vanessie Morrison.

O AUTORZE

Jeff Kinney jest twórcą serii książek *Dziennik cwaniaczka*, numeru jeden na liście bestsellerów „New York Timesa". Pięciokrotnie zdobył Nickelodeon Kids' Choice Award w kategorii Ulubiona Książka. Jest jednym ze Stu Najbardziej Wpływowych Ludzi Świata w rankingu „Time". Stworzył również www.poptropica.com, jeden z Pięćdziesięciu Najlepszych Serwisów Internetowych według „Time". Dzieciństwo spędził w mieście Waszyngton, a w 1995 roku przeniósł się do Nowej Anglii. Obecnie z żoną i dwoma synami mieszka na południu Massachusetts, gdzie razem z rodziną prowadzi księgarnię An Unlikely Story.

Wydawnictwo NASZA KSIĘGARNIA Sp. z o.o.
05-075 Warszawa-Wesoła, ul. Apteczna 6
e-mail: naszaksiegarnia@nk.com.pl
tel. 22 643 93 89

Sprzedaż wysyłkowa: tel. 22 641 56 32
e-mail: sklep.wysylkowy@nk.com.pl
www.nk.com.pl

Książkę wydrukowano na papierze
Ecco Book Cream 70 g/m² wol. 2,0.

Redaktor prowadząca **Joanna Wajs**
Opieka redakcyjna **Magdalena Korobkiewicz**
Redakcja techniczna **Joanna Piotrowska**
Korekta **Roma Sachnowska, Joanna Morawska**
Skład i łamanie **Mariusz Brusiewicz**

ISBN 978-83-10-13991-7

PRINTED IN POLAND

Wydawnictwo „Nasza Księgarnia", Warszawa 2023 r.
Druk: POZKAL, Inowrocław